Don Juan Tenorio

Literatura

José Zorrilla

Don Juan Tenorio

Introducción de Jorge Campos

El libro de bolsillo
Literatura española
Alianza Editorial

Primera edición en «El libro de bolsillo»: 1985
Tercera reimpresión: 1996
Primera edición en «Área de conocimiento: Literatura»: 2001
Segunda reimpresión: 2004

Diseño de cubierta: Alianza Editorial
Fotografía: SF/Anaya

© de la introducción: Herederos de Jorge Renales F. Campos
© Alianza Editorial, S. A., Madrid, 1985, 1994, 1995, 1996, 2001, 2002,
2004
  Calle Juan Ignacio Luca de Tena, 15;
  28027 Madrid; teléfono 91 393 88 88
  www.alianzaeditorial.es
  ISBN: 84-206-3902-8
  Depósito legal: M. 27.753-2004
  Impreso en Fernández Ciudad, S. L.
  Printed in Spain

Introducción

Entre las devociones castizamente madrileñas que recogió Pedro de Répide[1] se halla la del culto a las ánimas benditas, celebrado en la noche del 1 al 2 de noviembre. En los hogares de la capital de España, en una vasija –un tazón bastaba– llena de agua, flotaba una capa de aceite que sustentaba una menuda y movediza llama en devota ofrenda a las benditas ánimas del Purgatorio. Tradición procedente de más de una región española y superviviente en el tránsito y formación de una cultura urbana. Lo curioso y extraño del caso es cómo esta tradición propia del mes de noviembre se unió a la representación en varios teatros de la capital de una determinada obra dramática. El público llenaba varios locales donde se ofrecía la misma función ligada por uno de sus temas fundamentales a ese mismo culto hogareño. La también tradicional costumbre de visitar las tumbas de los familiares y seres queridos venía a coincidir con esa ancestral representación del culto a los muertos e incluso a atávicos temores a un más allá ignorado.

1. Pedro de Répide: *Costumbres y devociones madrileñas*. Edición de la Novela Corta (1914).

«Habrá, si se quiere, su tanto de fanatismo y de moda en la repetición anual de *Don Juan Tenorio,* convertida en costumbre inviolable para toda España», escribía el padre Blanco García en su obra *La literatura española en el siglo XIX,* en el año 1909.

Durante varios años, en los primeros días de noviembre, había alzado el telón algún teatro madrileño para representar una obra de Antonio de Zamora, *No hay plazo que no se cumpla ni deuda que no se pague y convidado de piedra,* que ya veremos es un claro antecedente de la obra que nos ocupa y del nacimiento de la popular tradición.

La obra aludida es el *Don Juan Tenorio,* escrita por José Zorrilla.

Se estrenó este drama en 1844. Sabemos lo bastante de su génesis como para afirmar que es una obra de encargo pensada para sustituir a otra de tema parecido, que conjuntase la celebración del día de las Ánimas con los viejos temas del galán seductor y el difunto invitado por la soberbia humana a un acto de la vida real y cotidiana.

El propio Zorrilla, en sus memorias *Recuerdos del tiempo viejo,* nos ha transmitido estos orígenes de la obra:

En febrero del 44 volvió Carlos Latorre a Madrid y necesitaba una obra nueva: correspondíame de derecho aprontársela, pero yo no tenía nada pensado y urgía el tiempo: el teatro debía cerrarse en abril. No recuerdo quién me indicó el pensamiento de una refundición de *El burlador de Sevilla,* o si yo mismo, animado por el poco trabajo que me había costado la de *Las travesuras de Pantoja,* di en esta idea, registrando la colección de las comedias de Moreto; el hecho es que sin más datos ni más estudios que *El burlador de Sevilla,* de aquel ingenioso fraile, y su mala refundición de Solís, que era la que hasta entonces se había representado bajo el título de *No hay plazo que no se cumpla ni deuda que no se pague o el convidado de piedra,* me obligué yo a escribir en veinte días un Don Juan de mi confección.

Es de lamentar en estas indicaciones del propio Zorrilla que su mala memoria o bien las prisas le hicieran sembrarlas de errores. Fácil es de ver la confusión entre Moreto y Tirso de Molina y más fácil la de Solís y Zamora, dramaturgos ambos pertenecientes a esa etapa epigonal de la que el Romanticismo vino a sacar al teatro español.

Aquel primer estreno del año 44 no tuvo gran éxito. Fue a partir de 1850 cuando empezaron a multiplicarse las representaciones. Hemos podido anotar algunos datos y fechas que dan la imagen de la asunción por la sociedad española del drama «religioso-fantástico» de José Zorrilla.

Se estrenó la obra el día 27 de marzo de 1844 en el teatro de la Cruz, por la compañía del citado Carlos Latorre. Participaron en el reparto actores tan prestigiosos en el momento como la primera dama Bárbara Lamadrid y el afamado cómico Calatañazor en el papel de Ciutti. El mismo día, el *Diario de avisos* preparaba al posible público respecto a lo que la obra contenía:

Crítica a Don Juan Tenorio, de José Zorrilla, estrenada el 27 de marzo de 1844 en el teatro de la Cruz. Este drama, escrito para ser puesto en escena en la presente Cuaresma, encierra un pensamiento hondamente religioso. El personaje de Don Juan Tenorio es demasiado conocido para que sea necesario adelantar sobre él explicación alguna. El inmoral libertinaje y la incrédula osadía de Don Juan están pintados en colores tan vivos, cuanto necesarios son para el desarrollo del pensamiento fundamental y más necesarios aún para atraer sobre el protagonista la justicia y misericordia del Cielo.

Pero el éxito no vino entonces, sino bastante después. En diciembre de 1847 volvió a representarse, en el teatro del Instituto, con mejor suerte. El *Heraldo* escribía el día 9 de ese mismo mes una crítica diciendo que la obra «excitó anteanoche el entusiasmo del público, siendo el autor llamado a escena, donde recibió repetidos y extraordinarios aplausos».

El éxito definitivo se produjo a partir de 1850, en que volvió a las tablas en las fechas que se harían tradicionales, los primeros días de noviembre. Según una reseña de *La Nación* de 5 de noviembre de 1850, «El *Don Juan,* de Zorrilla, fue muy aplaudido».

En 1861 encontramos noticia de la representación simultánea en tres teatros de Madrid, y en 1870 podía leerse en el diario *La Esperanza:* «En la mayor parte de los teatros de la Corte vemos puesto en escena el mismo drama». Y en 1875: «Se dan catorce representaciones de *Don Juan Tenorio* en esta época [31 de octubre]».

Encontramos en un periódico un dato curioso que indica cómo la representación de la obra estaba arraigada ya en una fecha determinada: en 1879, en *La Correspondencia de España,* se lee: «A pesar del éxito obtenido en el Teatro Español por *La mariposa,* se suspenden las representaciones para dar lugar a las tradicionales de *Don Juan Tenorio* en esta época [31 de octubre]».

A partir de entonces y hasta cerca de nuestros días no dejó de representarse el drama. Incluso se llegó a estrenar, convertido en zarzuela, en noviembre de 1878, en el teatro de la calle de Jovellanos, y también se puso en escena una parodia, *Juan el perdío,* en el teatro Martín, en 1879.

Vida de José Zorrilla

La juventud de José Zorrilla se desarrolla dentro de unas acciones plenamente románticas. Luego, como el propio Romanticismo, se adaptaría a la sociedad isabelina que completa el siglo; sus éxitos, además de populares, son oficiales. Es el gran versificador de una época.

Había nacido en Valladolid, de familia acomodada, el día 21 de febrero de 1817. Su padre era don José Zorrilla Caballero, relator de la Cancillería, y su madre, doña Nicomedes Moral. Nombrado su padre gobernador de Burgos, cuando tenía seis años marchó con su familia allí, y de esta ciudad a Madrid, donde su padre había obtenido el cargo de superintendente de la Policía por medio del absolutista Calomarde. Cursó estudios en el Real Seminario de Nobles y se dice que allí se sintió atraído por la literatura romántica y así iniciaría sus primeros tanteos literarios.

El derrumbe del absolutismo devolvió a la familia a provincias, retirándose el intransigente jefe de la Policía al pueblo burgalés de Arroyomuñó, de donde pasó a Lerma, al tiempo que el joven Zorrilla era enviado a Toledo para cursar estudios de Leyes. Ganado por la ciudad, encontraría en ella el marco romántico de algunas leyendas que la época prefería como tema literario. Allí desarrolló más su inspiración poética que la cumplida atención a los estudios de Leyes. Por deseo de su padre trasladó la matrícula a la universidad de Valladolid, quizá para poder vigilarle más de cerca, sin lograr evitar que el joven encontrase otros jóvenes tocados del mismo morbo romántico. Recordemos que de este tiempo data su amistad con Miguel de los Santos Álvarez.

El curso de 1835-36 es el de su fracaso escolar y en este mismo último año rompe con los lazos paternos y se dirige a Madrid dispuesto a conquistar la categoría literaria. Etapa de bohemia y episodios aventureros mientras va consiguiendo escapar de la búsqueda paterna.

En sus *Recuerdos del tiempo viejo* nos habla de aquella bohemia de la que le sacaría uno de los actos más importantes de nuestro Romanticismo: el entierro de Larra. En el acto del entierro, después de una lectura de Roca de Togores que, según se cuenta, éste no pudo terminar a causa de la emoción, salió de entre el público José Zorrilla y comenzó a leer unos versos que traía escritos. Pérez Galdós, en los *Episodios Nacionales,* narra la escena en una carta atribuida a Miguel de los Santos Álvarez:

El estupor y la admiración se confundían con la extremada triste-
za del acto para formar un conjunto grandioso en el que andaban
la muerte y la vida, la podredumbre y la inmortalidad, la realidad
y el arte, tomando y dejando nuestras almas como olas que van y
vienen. Corrí a dar un abrazo a Zorrilla, de quien soy amigo del
alma...[2].

Todo Madrid pronunciaba el nombre de Zorrilla. Al tiempo de aquella fama repentina lograba cambiar su situación
económica. El diario *El Porvenir* le ofreció un sueldo de seis-
cientos reales y poco después pasó a *El Español,* que le ofrecía
el puesto dejado por el infortunado suicida. Este mismo año
de 1837 se publicó su primer volumen de versos, titulado *Poe-
sías.*

Tras alguna tentativa en el teatro (*Juan Dandolo,* en cola-
boración con García Gutiérrez, 1837), se casó con doña
Florentina Matilde O'Reilly, que le llevaba dieciséis años y a
la que algunos biógrafos acusan de indisponerle con su familia, hacerle abandonar el teatro e incluso de que buscase
en el extranjero una mejor situación. De todos modos, es
ésta la época más fecunda de su dramaturgia, figurando
entre sus obras más celebradas *El zapatero y el rey,* primera y segunda parte (1839 y 1842, respectivamente); *Sancho
García* (1842), *El puñal del godo* (1843), *Don Juan Tenorio* (1844), *La calentura* (1847), *Traidor, inconfeso y mártir*
(1849).

También por esta misma época publicó algunos de sus más
conocidos libros de poesía, como *Cantos del trovador* (1840).

Marcha a Francia, donde permanece desde el 30 de julio de
1845 al 22 de abril de 1846. Al volver a Madrid sufrió una pul-
monía que puso su vida en peligro. El 15 de diciembre de
1848 fue elegido académico de la Real Academia Española

2. Benito Pérez Galdós: *La estafeta romántica,* en *Obras completas,* t. II,
Madrid, Aguilar, 1951, p. 900. En esta novela, escrita en forma epistolar,
Galdós mezcla las cartas de personajes de ficción con otras atribuidas a
personajes reales.

por unanimidad, para ocupar el sillón vacante de don Alberto Lista y Aragón, pero no llegó a aceptarlo.

Sus proyectos le llevaron de nuevo a Francia. Una nota de sociedad en la prensa nos da idea de sus propósitos. Decía así *La Época* del 15 de octubre de 1848: «Ha llegado a París el señor Zorrilla, quien piensa fijar ahora su residencia en aquella capital. El célebre poeta, aprovechando la facilidad por la nueva ley de aranceles, se propone imprimir en Francia su última y más extensa obra, *El poema de Granada,* cuyos primeros tomos aparecerán muy en breve».

Tras un viaje corto a Inglaterra (1853) comienza su aventura de México (1854-1866). La protección del emperador Maximiliano le hizo ser nombrado director del Teatro Nacional Mexicano. Durante un viaje a Madrid en comisión de servicio le sorprende el fracaso del Imperio mexicano propiciado por Napoleón III y el fusilamiento de su protector el emperador. Había sido recibido en varias capitales españolas con aplauso apoteósico.

Durante la epidemia de cólera de 1865 había fallecido su esposa y poco después (1869) el poeta contrajo segundas nupcias con Juana Pacheco.

A lo largo del resto de su vida le acompañaron el aplauso de la multitud y el agobio económico. Para mucha gente fue el poeta por antonomasia, representante genuino de la poesía en aquella sociedad. Fue memorable su ingreso en la Real Academia Española en 1882, donde, cumpliendo con el papel que todos esperaban de él, leyó un discurso totalmente redactado en verso. Otro acto magnífico fue su coronación como poeta en 1889. Según el periódico *La Iberia,* unas treinta mil personas acudieron a recibirle a Granada. Fue coronado en el palacio de Carlos V el día 22 de junio de dicho año.

En 1890 dan cuenta los periódicos de una delicada operación quirúrgica en la que le fueron extraídos varios tumores de la cabeza. Repuesto de ésta y de otras varias dolencias, le llegó la muerte el 23 de enero de 1893.

Estudio de la obra

1. *Fuentes y antecedentes*

Mucho se ha escrito rastreando el seguimiento de temas exis-
tentes en *Don Juan Tenorio* que arrancan de los más lejanos
orígenes de la literatura. Contribuyen a ello el propio protagonista, arquetipo humano de la figura del burlador, y la inci-
dencia de algunos temas de la literatura fantástica, como la
del cadáver que se presenta a cumplir una promesa o la del
hombre que presencia su propio entierro.

Habría que distinguir –y es difícil hacerlo– entre el seguimiento de un tema a través de la historia literaria y las obras
que hubiera podido conocer Zorrilla y que influyeron direc-
tamente en su creación. Quedan además otras influencias,
como las que se recogen indirectamente de terceras lecturas,
transmisiones orales, etc.

De lo que no hay duda es de que no podemos negar la con-
fesión del propio Zorrilla acerca de la inmediata presencia en
su mente de la pieza dramática de Tirso de Molina *El burlador
de Sevilla y convidado de piedra*. Pertenecen a esta obra el
tipo del burlador, su presunción de seducir mujeres de toda
condición social y el convite hecho a la estatua del Comendador.

Sin embargo, los investigadores ponen a la par la pieza de
Antonio de Zamora, también citada por Zorrilla, verdadero
puente entre la obra del mercedario y la de nuestro romántico. A este respecto es fundamental y decisivo el estudio de Joseph W. Barlow, que convence de que la obra de Zorrilla se
trazó sobre un verdadero cañamazo urdido por Zamora[3]. Lo
prueba la conservación de los nombres de algunos personajes
importantes –don Juan y don Diego Tenorio, don Gonzalo

3. Joseph W. Barlow: «Zorrilla's Indebtedness to Zamora», en *Romanic
Review*, XVII, 1926.

de Ulloa–, también el comienzo de la acción en Sevilla y el mismo fondo alborotador de los famosos «malditos». Para José Luis Varela, el *Tenorio* viene a ser una réplica de la citada obra de Zamora[4]. También anota este autor el aspecto satánico de la figura de Don Juan, fácilmente advertible en el personaje de Zamora en escenas como aquella en que Tenorio falta al respeto a su propio padre, e incluso la importancia de las influencias por vía negativa:

Zamora y Zorrilla y el Don Juan de uno y otro son, efectivamente, muy distintos. Pero nos atreveríamos a decir, apoyados por el testimonio de Zorrilla y precisamente en sus diferencias, que la influencia por vía negativa de la obra de Zamora sobre el *Tenorio* es muy importante. Hay situaciones y detalles que permanecen invariados, como consecuencia del carácter del protagonista y de la tradición donjuanesca; por ejemplo, el soborno a las criadas, el escenario italiano para la conquista amorosa, la incredulidad, el Comendador como instrumento divino, la notoriedad de Don Juan, etc.[5].

Ya hace tiempo también que otros investigadores hallaron la influencia inmediata de la obra dramática de Alejandro Dumas *Don Juan de Marana ou la chûte d'un ange,* estrenada en 1836 en París y publicada en castellano dos años después. El hecho de que en una nueva versión del *Don Juan de Marana* de 1863 aparezca modificado el final, según el que dio Zorrilla a su invención, hace pensar a su vez en una influencia del texto español sobre la primera versión de Dumas, añadiendo lo más importante, el final de *Don Juan Tenorio,* con su salvación. Se ha señalado el parecido entre las escenas de ambos dramas cuando Don Juan Tenorio se da a conocer y la relación de lances y conquistas femeninas[6].

4. José Luis Varela: Introducción a la edición de *Don Juan Tenorio* en Clásicos Castellanos, Madrid, Espasa Calpe, 1975, p. XXX.
5. *Ibídem,* pp. XXX-XXXI.
6. *Ibídem,* p. XXXVII (en nota).

Otras posibles influencias, coincidencias o parentescos difíciles de probar se han indicado al trazar las distintas etapas de la silueta del burlador y no tienen importancia o ni siquiera existen como fuentes en la creación zorrillesca. García Castañeda, que las enumera, recoge la afirmación de Zorrilla de no haber conocido ninguna de estas obras: *San Francisco de Siena,* de Moreto; *Le souper chez le Commandeur,* de Blaze de Bury, ni a otros autores como Cicognini, Gazzaniga, etc.

Parece ser también que, entre las indudables presencias de obras sobre el tema anteriores a la invención de Zorrilla de *Don Juan Tenorio,* está el relato de Próspero Mérimée *Les âmes du Purgatoire,* texto para el que, por otra parte, se cree que utilizó un manuscrito del duque de Rivas y Alcalá Galiano escrito durante su emigración en Francia. La obra de Mérimée es de 1835 y fue traducida al castellano entre 1838 y 1839 por García Gutiérrez y bien pudo haberla conocido Zorrilla. Sobre todo la última de estas versiones, que fue llevada a las tablas en Madrid el mismo año de 1839.

Entre los parentescos advertidos está la figura del seductor, el recuento de víctimas, la muerte involuntaria del padre de la protagonista y la visión del propio entierro.

2. *Efectos fantásticos y sobrenaturales*

Una de las causas de que el *Don Juan* de Zorrilla tuviese tanto éxito y se representase año tras año en varios teatros de la capital al mismo tiempo fueron los efectos fantásticos y sobrenaturales, que exaltaban grandemente la imaginación de los espectadores, sobre todo en fechas tan precisas como era el día de las Ánimas.

Uno de los efectos sobrenaturales más conseguidos por Zorrilla, al igual que por sus antecesores en el tema, es el convite al Comendador, su aparición para cumplir su promesa y la devolución del convite.

El tema es muy viejo. Menéndez Pidal comentó ya en 1906 un romance que lo expone: un galán se encamina a la iglesia. Es curioso que los rasgos con que se delinea al personaje coincidan con la estampa descreída y mujeriega de Don Juan, como si, en efecto, fuese un antecedente: «Para misa iba un galán / caminito de la iglesia; / no iba por oír misa / ni pa estar atento a ella, / que iba por ver las damas / las que van guapas y frescas».

En medio del camino encuentra una calavera. El caballero la invita a cenar: «Aún no comiera un bocado / cuando pican a la puerta. / Manda un paje de los suyos / que saliese a ver quién era. / "Dile, criado, a tu amo / que si del dicho se acuerda." / "Dile que sí, mi criado, / que entre p'acá norabuena"».

La calavera no toma bocado y pide al caballero que la acompañe a la iglesia. No hay que insistir tampoco en el parecido de la escena primera del acto II de la segunda parte del *Tenorio,* en que éste, acompañado de Centellas y Avellaneda, escucha las llamadas a la puerta y la estatua del Comendador hace acto de presencia.

A las doce de la noche, en otro parecido con el *Tenorio,* la calavera lleva al galán a la iglesia, donde está abierta una sepultura y quiere arrastrarle a ella. La invocación del nombre de Dios y la muestra de un relicario libran de tal peligro al irreverente galán.

El argumento abunda en el folclore europeo, multiplicándose las variantes y modificaciones. Para Theodore Ziolkovski[7], los orígenes de la leyenda de la estatua animada en Europa vienen desde William de Malmesbury, que recoge en su libro *Chronicle of the Kings of England* (siglo XII) temas ya presentes en la literatura clásica.

De la estatua que se anima e interviene en la vida de los humanos se pasa a la estatua agresiva y justiciera que trata de

7. Theodore Ziolkovski: *Imágenes desencantadas,* Madrid, Taurus, 1980, cap. II.

juzgar a los mortales y llevarles a una condena en la otra vida. El tema llegará así hasta Bécquer y su leyenda «El beso», posiblemente con procedencia en alguna fuente germánica.

Existente ya en el *Don Giovanni* de Mozart, la estatua del Comendador en el *Burlador* de Tirso y en el *Don Juan* de Zamora viene a juntarse en estas obras a los temas, tal como los aprovechó Zorrilla, del romance de la calavera y la estatua animada. Insertándose en el ideario católico, la estatua viene a constituir una especie de adelantamiento del Juicio Final, con resultado condenatorio en las primeras versiones y con el triunfo del bien y la salvación en la acertada solución zorrillesca.

Menéndez Pidal recoge cómo se utilizó el tema en los escenarios de los jesuitas alemanes de los siglos XVII y XVIII, y en Italia en un posterior pliego de cordel titulado *Leoncio overo la terribile vendetta di un morto*.

El hecho de que sean la inocencia de doña Inés y el amor quienes intervienen y dan un final feliz al drama acentúa su aspecto romántico y es fundamental para la acogida que tuvo entre el público.

Para Menéndez Pidal, esta tradición del muerto o la calavera y el convite se liga a la de la estatua convidada, porque tienen muchos puntos en común y cree que es el original castellano contaminado por influencias europeas.

Su tesis es que la obra de Tirso «se desarrolló de un germen tradicional fecundado por la inventiva del poeta, que se lo apropió»[8].

Otro tema sobrenatural breve de la exposición, pero que mereció ser recogido en la *Antología de la literatura fantástica* realizada por Jorge Luis Borges y Adolfo Bioy Casares, es el del hombre que ve pasar su propio entierro. El tema es tan consustancial con la fantasía romántica española, que aparece utilizado por varios autores casi al mismo tiempo. Ha sido inevitable la

8. Ramón Menéndez Pidal: *Estudios literarios*, Madrid, Espasa Calpe, 1943, p. 101.

referencia a *El estudiante de Salamanca,* escrito entre marzo de 1836 y junio del año siguiente. Pero no se ha tenido en cuenta el pasaje semejante en la novela de su íntimo e inseparable compañero de letras y aventuras vitales José García Villalta, titulada *El golpe en vago* y aparecida a mediados de 1835. Podría tratarse de una común utilización de la leyenda sevillana que tenía por protagonista a don Miguel de Mañara. El mismo Zorrilla la utilizó en su leyenda del capitán Montoya el año de 1840. En la obra de Próspero Mérimée citada anteriormente también aparece la estremecedora escena, pero no es fácil dilucidar que se trate de un préstamo tomado al romántico francés.

García Villalta, con su usual procedimiento coincidente con la novela negra inglesa que conocería en la emigración, empequeñece la terrorífica escena dándole una explicación racional: el funeral y el cadáver pertenecen al padre del protagonista, de igual nombre que éste. En este punto se ha advertido también la influencia de *Les âmes du Purgatoire* de Próspero Mérimée.

El antecedente más viejo que se ha señalado de este pasaje se encuentra en el *David perseguido* de Cristóbal Lozano.

3. *La figura de Don Juan*

Don Juan es una figura plenamente romántica. Es fruto del Romanticismo. Atrevido, irreverente, llegando a la blasfemia y al sacrilegio, tiene como extremos al Don Juan de Byron o al Félix de Montemar de nuestro Espronceda.

También se han buscado en la literatura anterior personajes que pudieran servir de antecedente o de fuente inspiradora. Se los ha hallado en nuestro Siglo de Oro, tan romántico también en muchos aspectos: entre otros personajes pueden servir de ejemplo los del Cariofilo de *Euphrosina,* de Ferreira de Vasconcelos, y el Leucino de *El infamador,* de Juan de la Cueva. Hay otras figuras con alguno de sus rasgos en Lope de Vega o en el propio Tirso de Molina: el Duque de Calabria de *La ninfa del cielo* y el Jorge y el Luis de la segunda parte de *La Santa Juana*. En este caso se ha llegado también a señalar como antecedente el personaje del Comendador de *Fuenteovejuna*, de Lope de Vega.

Más interesante es ver cómo la figura creada por Tirso va a tomar cuerpo en la obra de Zorrilla antes de ese 1844 en que escribe su pieza. García de Castañeda[9] señala la existencia de personajes con rasgos tenoriescos en el seductor Don Juan de Alarcón de *Margarita la Tornera*, en Don Diego Martínez de *A buen juez mejor testigo* y en el Román de *Vivir loco y morir más*. Donde más patente se hace el parentesco es en el Capitán Montoya, que se dice influido por el Félix de Montemar del esproncediano *El estudiante de Salamanca* y que el propio Zorrilla confesó ser origen de su drama, papel que atribuyó igualmente a la leyenda de *Margarita la tornera*, de la que, por otra parte, copia gran cantidad de versos.

Aparte del personaje masculino y de la contemplación de su propio entierro, la relación entre Montoya y doña Inés prefigura la de Don Juan y la homónima novicia del *Tenorio*.

Para ser un arquetipo del héroe romántico, atrevido e insolente, no le falta tampoco a Don Juan su condición satánica. José Luis Varela ha recogido con todo cuidado las veces que el mismo Don Juan u otros personajes le dan el calificativo de hijo de Satanás, Lucifer o Demonio. Es la misma figura que la del tipo esproncediano: «Segundo Don Juan Tenorio / alma fiera e insolente...». En esas características se diferencia del primer Tenorio a que se alude, el de Tirso de Molina. Expresión de un pensamiento barroco acondicionado por la Contrarreforma el primero, y completamente cargado de espíritu romántico el segundo.

9. Salvador García de Castañeda. Introducción a la edición de *Don Juan Tenorio*, Madrid, Editorial Labor, 1975, p. 41.

4. Estructura de la obra

Don Juan Tenorio es un típico drama histórico al modo como lo instauró el Romanticismo español desde los primeros intentos de Espronceda, García Gutiérrez o el propio Zorrilla. Está dividido en dos partes de cuatro y tres actos, respectivamente, y en la versificación utiliza principalmente redondillas, quintillas y décimas. En los actos I, III y IV de la primera parte usa también el romance y en el acto II los famosos ovillejos. En el acto III de la parte segunda emplea excepcionalmente cuartetos endecasílabos.

En el drama se aúnan la imaginación y las creencias religiosas. Hay una clara diferenciación entre los dos primeros actos y el último, como en las «comedias de santos» como *El rufián dichoso*, de Cervantes, o bien en *El condenado por desconfiado*, de Tirso de Molina. *El rufián dichoso*, por ejemplo, traza la vida poco ejemplar del protagonista en la primera parte, que contrasta con una segunda donde se exaltan las virtudes del hombre arrepentido. Zorrilla va escalonando escenas que muestran el perfil irrespetuoso y réprobo del personaje –homicidios y crímenes, seducciones, jactancia de la vida disoluta, injurias al Comendador y a su propio padre, rapto de una novicia, muerte del Comendador–, para volver en la segunda parte a otra historia, años adelante, en que su falta de arrepentimiento le lleva a injuriar a los muertos y hacer el convite a la estatua del Comendador. La estatua y el cadáver se funden en un solo personaje que tratará de arrastrar a Don Juan a la condenación eterna.

En la primera parte de la obra abunda la construcción paralelística, desde la propia situación del escenario con la mesa en el centro donde se dilucidará quién es el ganador de la apuesta, el grupo que rodea a los que han apostado y las mesas de los ancianos enmascarados situados a derecha e izquierda. Paralelismo hay en la exposición de los lances y seducciones, ayudado por la figura también tenoriesca de don Luis Mejía, en las escenas ante la casa de doña Ana de Pantoja y en las añagazas de ambos burladores para inutilizar a su rival. Valbuena Prat afirmó que «el cuadro del comienzo es un ejemplo perfecto de hábil y paralelística arquitectura teatral».

En la definición que supone el subtítulo de la obra se confiesa la intención del autor: «Drama religioso-fantástico». Son necesarias dos adjetivaciones, que se corresponden con las dos partes que se delimitan en la obra. Drama religioso al modo de los que escribiera Tirso de Molina, tan leído por él, como nos reveló, cuando pensaba en la concepción de su obra. La crítica ha señalado el parecido ideológico con obras como las anteriormente citadas, *El condenado por desconfiado* o las «comedias de santos». Drama fantástico, como exigía el romanticismo en boga y la pretendida exaltación de la imaginación del público, base indispensable para el éxito rotundo que alcanzaría la obra.

La presente edición

Hemos elegido para esta edición un texto del siglo XIX, impreso en Madrid en la Imprenta de Cipriano López, en 1857. Algo posterior al texto corregido por Zorrilla, contiene, sin embargo, algunas variantes, sobre todo en las acotaciones. Se ha corregido la puntuación y la ortografía.

JORGE CAMPOS

Bibliografía básica

ALBERICH, José, «Sobre la popularidad de *Don Juan Tenorio*», en *Ínsula*, 204, noviembre de 1963, pp. 1, 10.

ALBORG, Juan Luis, *Historia de la literatura española*, Madrid, Gredos, 1980, tomos III y IV.

ALONSO CORTÉS, Narciso, *Zorrilla. Su vida y sus obras,* Valladolid, 1942.

CASALDUERO, Joaquín, «El Don Juan romántico-sentimental», en *Contribución al estudio del tema de Don Juan en el teatro español,* Madrid, José Porrúa Turanzas, 1975, pp. 133-149.

CYMERMAN, Claude, *Análisis de don Juan Tenorio,* Buenos Aires, Centro Editor de América Latina, 1968.

EGIDO, Aurora, «Sobre la demonología de los burladores (de Tirso a Zorrilla)», en *Cuadernos de Teatro Clásico,* 2, 1988, pp. 37-54.

GARCÍA DE CASTAÑEDA, Salvador, Introducción a *Don Juan Tenorio,* Madrid, Editorial Labor, 1975.

GARCÍA PAVÓN, Francisco, Prólogo a *Don Juan Tenorio* y *El burlador de Sevilla,* Madrid, Taurus, 1959.

GIES, David T., «Don Juan contra don Juan: apoteosis del romanticismo español», en *Actas del VII Congreso Internacional de Hispanistas,* ed. de Giuseppe Bellini, I, Roma, Bulzoni, 1982, pp. 545-551.

LENSING, Arvella Hertje, *José Zorrilla: a critical, annotated bibliography, 1837-1985,* Michigan, Ann Arbor, 1991.

LLORENS, Vicente, *El Romanticismo español. Ideas literarias. Literatura e historia,* Fundación Juan March-Editorial Castalia, Madrid, 1980.

MARÍAS, Julián, «Dos dramas románticos: *Don Juan Tenorio* y *Traidor, inconfeso y mártir*», en *Estudios románticos,* Valladolid, Casa-Museo de Zorrilla, 1975, pp. 181-197.

MARTÍN-GRANIZO FERNÁNDEZ, Mariano, *La idea de la justicia en la obra literaria de José Zorrilla,* Valladolid, Real Academia de Legislación y Jurisprudencia, 1997.

MUÑOZ GONZÁLEZ, Luis, «*Don Juan Tenorio,* la personalización del mito», en *Estudios Filológicos,* 10, 1974-1975, pp. 93-122.

NAVAS RUIZ, Ricardo, *El Romanticismo español. Historia y crítica,* Salamanca, Anaya, 1973.

PEERS, Edward Allison, *Historia del movimiento romántico español,* Madrid, Gredos, 1973.

PEÑA, Aniano, Introducción a *Don Juan Tenorio,* Madrid, Cátedra, 1981.

RUBIO FERNÁNDEZ, Luz, «Variaciones estilísticas del *Tenorio*», en *Revista de Literatura,* 19, 1961, pp. 55-92.

UNAMUNO, Miguel, «El zorrillismo estético», en *Obras Completas,* III, Madrid, Escelicer, 1971.

VALLEJO, Irene, *José Zorrilla, Bibliografía con motivo de un centenario (1893-1993),* Valladolid, Fundación Municipal de Cultura del Ayuntamiento, 1994.

VARELA, José Luis, Introducción a *Don Juan Tenorio,* Madrid, Espasa Calpe, 1975 (Clásicos Castellanos).

VV.AA. *Actas del Congreso sobre José Zorrilla: una nueva lectura (Valladolid, 18-21 de octubre de 1993).* Edición coordinada por Javier Blasco Pascual, Ricardo de la Fuente Ballesteros y Alfredo Mateos Paramio, Universidad de Valladolid, 1995.

ZORRILLA, José, *Recuerdos del tiempo viejo,* Madrid, Publicaciones Españolas, 1961.

Don Juan Tenorio
Drama religioso-fantástico en dos partes

Personajes de todo el drama

Don Juan Tenorio
Christófano Buttarelli
Marcos Ciutti
Miguel
Don Gonzalo de Ulloa, comendador de Calatrava
Don Diego Tenorio
El capitán Centellas
Don Rafael de Avellaneda
Don Luis Mejía
Gastón
Alguaciles 1.º y 2.º
Doña Ana de Pantoja
Brígida
Lucía
La abadesa de las Calatravas de Sevilla
Doña Inés de Ulloa
Pascual
La tornera de las Calatravas
Un escultor
La sombra de Doña Inés
Un paje (que no habla)
La estatua de Don Gonzalo

Caballeros sevillanos, encubiertos, curiosos, esqueletos, estatuas, ángeles, sombras, justicia y pueblo.

La acción, en Sevilla por los años 1545, últimos del emperador Carlos V. Los cuatro primeros actos pasan en una sola noche. Los tres restantes, cinco años después, y en otra noche.

Primera parte

Acto primero
Libertinaje y escándalo

Personas

DON JUAN
DON LUIS
DON DIEGO
DON GONZALO
BUTTARELLI
CIUTTI
CENTELLAS
AVELLANEDA
GASTÓN
MIGUEL

Caballeros, curiosos, enmascarados, rondas

Hostería de Christófano Buttarelli. Puerta en el fondo que da a la calle: mesas, jarros y demás utensilios propios de semejante lugar.

ESCENA PRIMERA

Don Juan, *con antifaz, sentado a una mesa escribiendo;* Buttarelli *y* Ciutti, *a un lado esperando. Al levantarse el telón,
se ven pasar por la puerta del fondo máscaras, estudiantes y
pueblo con hachones, músicas, etc.*

Don Juan   ¡Cuál gritan esos malditos!
                 Pero, ¡mal rayo me parta
                 si en concluyendo la carta
                 no pagan caros sus gritos!

                 (Sigue escribiendo.)

Buttarell *(A* Ciutti.*)*
                 Buen carnaval.
Ciutti   *(A* Buttarelli.*)*
                         Buen agosto
                 para rellenar la arquilla.
Buttarelli   ¡Quia! Corre ahora por Sevilla
                 poco gusto y mucho mosto.
                 Ni caen aquí buenos peces,

	que son cosas mal miradas
	por gentes acomodadas,
	y atropelladas a veces.
CIUTTI	Pero hoy...
BUTTARELLI	Hoy no entra en la cuenta,
	Ciutti: se ha hecho buen trabajo.
CIUTTI	¡Chist! Habla un poco más bajo,
	que mi señor se impacienta
	pronto.
BUTTARELLI	¿A su servicio estás?
CIUTTI	Ya ha un año.
BUTTARELLI	¿Y qué tal te sale?
CIUTTI	No hay prior que se me iguale;
	tengo cuanto quiero y más.
	Tiempo libre, bolsa llena,
	buenas mozas y buen vino.
BUTTARELLI	¡Cuerpo de tal, qué destino!
CIUTTI *(Señalando a* DON JUAN.*)*	
	Y todo ello a costa ajena.
BUTTARELLI	¿Rico, eh?
CIUTTI	Varea la plata.
BUTTARELLI	¿Franco?
CIUTTI	Como un estudiante.
BUTTARELLI	¿Y noble?
CIUTTI	Como un infante.
BUTTARELLI	¿Y bravo?
CIUTTI	Como un pirata.
BUTTARELLI	¿Español?
CIUTTI	Creo que sí.
BUTTARELLI	¿Su nombre?
CIUTTI	Lo ignoro en suma.
BUTTARELLI	¡Bribón! ¿Y dónde va?
CIUTTI	Aquí.
BUTTARELLI	Largo plumea.
CIUTTI	Es gran pluma.

BUTTARELLI	¿Y a quién mil diablos escribe
	tan cuidadoso y prolijo?
CIUTTI	A su padre.
BUTTARELLI	¡Vaya un hijo!
CIUTTI	Para el tiempo en que se vive,
	es un hombre extraordinario;
	mas silencio.

DON JUAN *(Cerrando la carta.)*

Firmo y plego.
¿Ciutti?

CIUTTI	¿Señor?
DON JUAN	Este pliego
	irá dentro del horario
	en que reza doña Inés
	a sus manos a parar.
CIUTTI	¿Hay respuesta que aguardar?
DON JUAN	Del diablo con guardapiés
	que la asiste, de su dueña
	que mis intenciones sabe,
	recogerás una llave,
	una hora y una seña:
	y más ligero que el viento
	aquí otra vez.
CIUTTI	Bien está. *(Vase.)*

ESCENA II

DON JUAN y BUTTARELLI

DON JUAN	Christófano, vieni qua.
BUTTARELLI	Eccellenza!
DON JUAN	Senti.
BUTTARELLI	Sento.
	Ma hó imparato il castigliano,

                 se è più fácile al signor
                 la sua lingua...

DON JUAN   Sí, es mejor:
                 lascia dunque il tuo toscano,
                 y dime: ¿don Luis Mejía
                 ha venido hoy?

BUTTARELLI   Excelencia,
                 no está en Sevilla.

DON JUAN   ¿Su ausencia
                 dura en verdad todavía?

BUTTARELLI   Tal creo.

DON JUAN   ¿Y noticia alguna
                 no tienes de él?

BUTTARELLI   ¡Ah!, una historia
                 me viene ahora a la memoria
                 que os podrá dar...

DON JUAN   ¿Oportuna
                 luz sobre el caso?

BUTTARELLI   Tal vez.

DON JUAN   Habla pues.

BUTTARELLI (*Hablando consigo mismo.*)
                 No, no me engaño:
                 esta noche cumple el año,
                 lo había olvidado.

DON JUAN   ¡Pardiez!
                 ¿Acabarás con tu cuento?

BUTTARELLI   Perdonad, señor, estaba
                 recordando el hecho.

DON JUAN   Acaba,
                 ¡vive Dios!, que me impaciento.

BUTTARELLI   Pues es el caso, señor,
                 que el caballero Mejía
                 por quien preguntáis, dio un día
                 en la ocurrencia peor
                 que ocurrírsele podía.

DON JUAN   Suprime lo al hecho extraño;
                    que apostaron me es notorio
                    a quién haría en un año
                    con más fortuna más daño
                    Luis Mejía y Juan Tenorio.

BUTTARELLI   ¿La historia sabéis?
DON JUAN   Entera;
                    por eso te he preguntado
                    por Mejía.

BUTTARELLI   ¡Oh!, me pluguiera
                    que la apuesta se cumpliera,
                    que pagan bien y al contado.

DON JUAN   ¿Y no tienes confianza
                    en que don Luis a esta cita
                    acuda?

BUTTARELLI   ¡Quia!, ni esperanza:
                    el fin del plazo se avanza,
                    y estoy cierto que maldita
                    la memoria que ninguno
                    guarda de ello.

DON JUAN   Basta ya.
                    Toma.

BUTTARELLI   Excelencia, ¿y de alguno
                    de ellos sabéis vos?

DON JUAN   Quizá.
BUTTARELLI   ¿Vendrán pues?
DON JUAN   Al menos uno;
                    mas por si acaso los dos
                    dirigen aquí sus huellas
                    el uno del otro en pos,
                    tus dos mejores botellas
                    prevénles.

BUTTARELLI   Mas...
DON JUAN   ¡Chito!... Adiós.

ESCENA III

BUTTARELLI

BUTTARELLI   ¡Santa Madonna! De vuelta
              Mejía y Tenorio están
              sin duda..., y recogerán
              los dos la palabra suelta.
              ¡Oh! Sí; ese hombre tiene traza
              de saberlo a fondo. *(Riendo dentro.)* Pero
              ¿qué es esto? *(Se asoma a la puerta.)*
                              ¡Anda! ¡El forastero
              está riñendo en la plaza!
              ¡Válgame Dios! ¡Qué bullicio!
              ¡Cómo se le arremolina
              chusma!... ¡Y cómo la acoquina
              él solo!... ¡Puf! ¡Qué estropicio!
              ¡Cuál corren delante de él!
              ¡No hay duda, están en Castilla
              los dos, y anda ya Sevilla
              toda revuelta! ¡Miguel!

ESCENA IV

BUTTARELLI y MIGUEL

MIGUEL   Che comanda?
BUTTARELLI   Presto, qui
              servi una tàvola, amico;
              e del làcryma più antico
              porta due bottiglie.
MIGUEL   Si,
              signor padron.

BUTTARELLI   Micheletto,
                      apparechia in carità
                      lo più ricco che si fa,
                      affrettati.
MIGUEL   Già mi affretto,
                      signor padrone. *(Vase.)*

ESCENA V

BUTTARELLI *y* DON GONZALO

DON GONZALO   Aquí es.
                      ¿Patrón?
BUTTARELLI
                              ¿Qué se ofrece?
DON GONZALO   Quiero
                      hablar con el hostelero.
BUTTARELLI   Con él habláis; decid pues.
DON GONZALO   ¿Sois vos?
BUTTARELLI   Sí, mas despachad,
                      que estoy depriesa.
DON GONZALO   En tal caso
                      ved si es cabal y de paso
                      esa dobla y contestad.
BUTTARELLI   ¡Oh, excelencia!
DON GONZALO   ¿Conocéis
                      a don Juan Tenorio?
BUTTARELLI   Sí.
DON GONZALO   ¿Y es cierto que tiene aquí
                      hoy una cita?
BUTTARELLI   ¡Oh! ¿Seréis
                      vos el otro?

DON GONZALO	¿Quién?
BUTTARELLI	Don Luis.
DON GONZALO	No; pero estar me interesa
	en su entrevista.
BUTTARELLI	Esta mesa
	les preparo; si os servís
	en esotra colocaros,
	podréis presenciar la cena
	que les daré... ¡Oh! Será escena
	que espero que ha de admiraros.
DON GONZALO	Lo creo.
BUTTARELLI	Son, sin disputa,
	los dos mozos más gentiles
	de España.
DON GONZALO	Sí, y los más viles
	también.
BUTTARELLI	¡Bah! Se les imputa
	cuanto malo se hace hoy día;
	mas la malicia lo inventa,
	pues nadie paga su cuenta
	como Tenorio y Mejía.
DON GONZALO	¡Ya!
BUTTARELLI	Es afán de murmurar,
	porque conmigo, señor,
	ninguno lo hace mejor,
	y bien lo puedo jurar.
DON GONZALO	No es necesario; mas...
BUTTARELLI	¿Qué?
DON GONZALO	Quisiera yo ocultamente
	verlos, y sin que la gente
	me reconociera.
BUTTARELLI	A fe
	que eso es muy fácil, señor.
	Las fiestas de Carnaval
	al hombre más principal

permiten sin deshonor
de su linaje servirse
de un antifaz, y bajo él,
¿quién sabe, hasta descubrirse,
de qué carne es el pastel?

DON GONZALO   Mejor fuera en aposento
                contiguo...

BUTTARELLI   Ninguno cae
           aquí.

DON GONZALO   Pues entonces trae
                el antifaz.

BUTTARELLI   Al momento.

ESCENA VI

DON GONZALO

DON GONZALO   No cabe en mi corazón
                que tal hombre pueda haber,
                y no quiero cometer
                con él una sinrazón.
                Yo mismo indagar prefiero
                la verdad..., mas a ser cierta
                la apuesta, primero muerta
                que esposa suya la quiero.
                No hay en la tierra interés
                que si la daña me cuadre;
                primero seré buen padre,
                buen caballero después.
                Enlace es de gran ventaja,
                mas no quiero que Tenorio
                del velo del desposorio
                la recorte una mortaja.

ESCENA VII

DON GONZALO *y* BUTTARELLI, *que trae un antifaz*

BUTTARELLI   Ya está aquí.

DON GONZALO   Gracias, patrón:
¿tardarán mucho en llegar?

BUTTARELLI   Si vienen no han de tardar:
cerca de las ocho son.

DON GONZALO   ¿Ésa es hora señalada?

BUTTARELLI   Cierra el plazo, y es asunto
de perder quien no esté a punto
de la primer campanada.

DON GONZALO   Quiera Dios que sea una chanza,
y no lo que se murmura.

BUTTARELLI   No tengo aún por muy segura
de que cumplan la esperanza;
pero si tanto os importa
lo que ello sea saber,
pues la hora está al caer
la dilación es ya corta.

DON GONZALO   Cúbrome, pues, y me siento.

               *(Se sienta en una mesa a la derecha y se
pone el antifaz.)*

BUTTARELLI   *(Aparte.* Curioso el viejo me tiene
del misterio con que viene...
y no me quedo contento
hasta saber quién es él.)

               (Limpia y trajina, mirándole de reojo.)

DON GONZALO   *(Aparte.* ¡Que un hombre como yo tenga
que esperar aquí y se avenga
con semejante papel!

En fin, me importa el sosiego
de mi casa y la ventura
de una hija sencilla y pura,
y no es para echarlo a juego.)

ESCENA VIII

Don Gonzalo, Buttarelli. Don Diego,
a la puerta del fondo

Don Diego	La seña está terminante,
	aquí es: bien me han informado:
	llego pues.
Buttarelli	¿Otro embozado?
Don Diego	¡Ah de esta casa!
Buttarelli	Adelante.
Don Diego	¿La Hostería del Laurel?
Buttarelli	En ella estáis, caballero.
Don Diego	¿Está en casa el hostelero?
Buttarelli	Estáis hablando con él.
Don Diego	¿Sois vos Buttarelli?
Buttarelli	Yo.
Don Diego	¿Es verdad que hoy tiene aquí
	Tenorio una cita?
Buttarelli	Sí.
Don Diego	¿Y ha acudido a ella?
Buttarelli	No.
Don Diego	Pero ¿acudirá?
Buttarelli	No sé.
Don Diego	¿Le esperáis vos?
Buttarelli	Por si acaso
	venir le place.

DON DIEGO   En tal caso
                   yo también le esperaré.

                   (*Se sienta en el lado opuesto a* DON GON-
                   ZALO.)

BUTTARELLI   ¿Que os sirva vianda alguna
                   queréis mientras?
DON DIEGO   No: tomad.
BUTTARELLI   ¡Excelencia!
DON DIEGO   Y excusad
                   conversación importuna.
BUTTARELLI   Perdonad.
DON DIEGO   Vais perdonado:
                   dejadme, pues.
BUTTARELLI   (*Aparte.* ¡Jesucristo!
                   En toda mi vida he visto
                   hombre más malhumorado.)
DON DIEGO   (*Aparte.* ¡Que un hombre de mi linaje
                   descienda a tan ruin mansión!
                   Pero no hay humillación
                   a que un padre no se baje
                   por un hijo. Quiero ver
                   por mis ojos la verdad
                   y el monstruo de liviandad
                   a quien pude dar el ser.)

                   (BUTTARELLI, *que anda arreglando sus tras-
                   tos, contempla desde el fondo a* DON GON-
                   ZALO *y a* DON DIEGO, *que permanecerán
                   embozados y en silencio.*)

BUTTARELLI   ¡Vaya un par de hombres de piedra!
                   Para éstos sobra mi abasto;
                   mas, ¡pardiez!, pagan el gasto
                   que no hacen, y así se medra.

ESCENA IX

Don Gonzalo, Don Diego, Buttarelli, *el* Capitán
Centellas, Avellaneda *y dos* caballeros

Avellaneda	Vinieron, y os aseguro
	que se efectuará la apuesta.
Centellas	Entremos pues. ¿Buttarelli?
Buttarelli	Señor capitán Centellas,
	¿vos por aquí?
Centellas	Sí, Christófano.
	¿Cuándo aquí sin mi presencia
	tuvieron lugar las orgias
	que han hecho raya en la época?
Buttarelli	Como ha tanto tiempo ya
	que no os he visto...
Centellas	Las guerras
	del emperador, a Túnez
	me llevaron; mas mi hacienda
	me vuelve a traer a Sevilla;
	y según lo que me cuentan
	llego lo más a propósito
	para renovar añejas
	amistades. Conque apróntanos
	luego unas cuantas botellas,
	y en tanto que humedecemos
	la garganta, verdadera
	relación haznos de un lance
	sobre el cual hay controversia.
Buttarelli	Todo se andará, mas antes
	dejadme ir a la bodega.
Varios	Sí, sí.

ESCENA X

Dichos, menos BUTTARELLI

CENTELLAS   Sentarse, señores,
y que siga Avellaneda
con la historia de don Luis.

AVELLANEDA   No hay ya más que decir de ella,
sino que creo imposible
que la de Tenorio sea
más endiablada, y que apuesto
por don Luis.

CENTELLAS   Acaso pierdas.
Don Juan Tenorio se sabe
que es la más mala cabeza
del orbe, y no hubo hombre alguno
que aventajarle pudiera
con sólo su inclinación;
conque ¿qué hará si se empeña?

AVELLANEDA   Pues yo sé bien que Mejía
las ha hecho tales, que a ciegas
se puede apostar por él.

CENTELLAS   Pues el capitán Centellas
pone por don Juan Tenorio
cuanto tiene.

AVELLANEDA   Pues se acepta
por don Luis, que es muy mi amigo.

CENTELLAS   Pues todo en contra se arriesga;
porque no hay como Tenorio
otro hombre sobre la tierra,
y es proverbial su fortuna
y extremadas sus empresas.

ESCENA XI

Dichos y BUTTARELLI, *con botellas*

BUTTARELLI	Aquí hay Falerno, Borgoña,
	Sorrento.
CENTELLAS	De lo que quieras
	sirve, Christófano, y dinos:
	¿qué hay de cierto en una apuesta
	por don Juan Tenorio ha un año
	y don Luis Mejía hecha?
BUTTARELLI	Señor capitán, no sé
	tan a fondo la materia
	que os pueda sacar de dudas,
	pero diré lo que sepa.
VARIOS	Habla, habla.
BUTTARELLI	Yo, la verdad,
	aunque fue en mi casa mesma
	la cuestión entre ambos, como
	pusieron tan larga fecha
	a su plazo, creí siempre
	que nunca a efecto viniera.
	Así es que ni aun me acordaba
	de tal cosa a la hora de ésta.
	Mas esta tarde, sería
	al anochecer apenas,
	entróse aquí un caballero
	pidiéndome que le diera
	recado con que escribir
	una carta: y a sus letras
	atento no más, me dio
	tiempo a que charla metiera
	con un paje que traía
	paisano mío, de Génova.
	No saqué nada del paje,

que es por Dios muy brava pesca
mas cuando su amo acababa
su carta, le envió con ella
a quien iba dirigida:
el caballero en mi lengua
me habló y me pidió noticias
de don Luis. Dijo que entera
sabía de ambos la historia,
y que tenía certeza
de que al menos uno de ellos
acudiría a la apuesta.
Yo quise saber más de él,
mas púsome dos monedas
de oro en la mano diciéndome:
«Y por si acaso los dos
al tiempo aplazado llegan,
ten prevenidas para ambos
tus dos mejores botellas».
Largóse sin decir más,
y yo atento a sus monedas,
les puse en el mismo sitio
donde apostaron, la mesa.
Y vedla allí con dos sillas,
dos copas y dos botellas.

AVELLANEDA   Pues, señor, no hay que dudar;
              era don Luis.

CENTELLAS   Don Juan era.

AVELLANEDA   ¿Tú no le viste la cara?

BUTTARELLI   ¡Si la traía cubierta
              con un antifaz!

CENTELLAS   Pero, hombre,
              ¿tú a los dos no los recuerdas?
              ¿O no sabes distinguir
              a las gentes por sus señas
              lo mismo que por sus caras?

BUTTARELLI	Pues confieso mi torpeza,
	no le supe conocer,
	y lo procuré de veras.
	Pero silencio.
AVELLANEDA	¿Qué pasa?
BUTTARELLI	A dar el reló comienza
	los cuartos para las ocho.

(Dan.)

CENTELLAS	Ved, ved la gente que se entra.
AVELLANEDA	Como que está de este lance
	curiosa Sevilla entera.

(Se oyen dar las ocho: varias personas entran y se reparten en silencio por la escena; al dar la última campanada, DON JUAN, con antifaz se llega a la mesa que ha preparado Buttarelli en el centro del escenario, y se dispone a ocupar una de las dos sillas que están delante de ella. Inmediatamente después, de él, entra DON LUIS, también con antifaz, y se dirige a la otra. Todos los miran.)

ESCENA XII

DON DIEGO, DON GONZALO, DON JUAN, DON LUIS, BUTTA-
RELLI, CENTELLAS, AVELLANEDA, CABALLEROS CURIOSOS,
ENMASCARADOS

AVELLANEDA *(A* CENTELLAS *por* DON JUAN.)
              Verás aquél, si ellos vienen,
              qué buen chasco que se lleva.

CENTELLAS *(A* AVELLANEDA *por* DON LUIS.)
                    Pues allí va otro a ocupar
                    la otra silla: ¡uf!, aquí es ella.
DON JUAN *(A* DON LUIS.)
                    Esta silla está comprada,
                    hidalgo.
DON LUIS *(A* DON JUAN.)
                              Lo mismo digo,
                    hidalgo; para un amigo
                    tengo yo esotra pagada.
DON JUAN   Que ésta es mía haré notorio.
DON LUIS   Y yo también que ésta es mía.
DON JUAN   Luego sois don Luis Mejía.
DON LUIS   Seréis, pues, don Juan Tenorio.
DON JUAN   Puede ser.
DON LUIS   Vos lo decís.
DON JUAN   ¿No os fiáis?
DON LUIS   No.
DON JUAN   Yo tampoco.
DON LUIS   Pues no hagamos más el coco.
DON JUAN   Yo soy don Juan. *(Quitándose la máscara.)*
DON LUIS *(Ídem.)*   Yo don Don Luis.

                    (Se descubren y se sientan. El CAPITÁN CEN-
                    TELLAS, *AVELLANEDA, BUTTARELLI y algu-
                    nos otros se van a ellos y les saludan, abrazan
                    y dan la mano, y hacen otras semejantes
                    muestras de cariño y amistad.* DON JUAN
                    y DON LUIS *las aceptan cortésmente.)*

CENTELLAS   ¡Don Juan!
AVELLANEDA   ¡Don Luis!
DON JUAN   ¡Caballeros!
DON LUIS   ¡Oh, amigos! ¿Qué dicha es ésta?
AVELLANEDA   Sabíamos vuestra apuesta,
                    y hemos acudido a veros.

DON LUIS	Don Juan y yo tal bondad
	en mucho os agradecemos.
DON JUAN	El tiempo no malgastemos,
	don Luis. *(A los otros.)* Sillas arrimad.

(A los que están lejos.)

Caballeros, yo supongo
que a ucedes también aquí
les trae la apuesta, y por mí
a antojo tal no me opongo.

DON LUIS   Ni yo; que aunque nada más
fue el empeño entre los dos,
no ha de decirse, por Dios,
que me avergonzó jamás.

DON JUAN   Ni a mí, que el orbe es testigo
de que hipócrita no soy,
pues por doquiera que voy
va el escándalo conmigo.

DON LUIS   ¡Eh! ¿Y esos dos no se llegan
a escuchar? ¡Vos!

(Por DON DIEGO *y* DON GONZALO.*)*

DON DIEGO	Yo estoy bien.
DON LUIS	¿Y vos?
DON GONZALO	De aquí oigo también.
DON LUIS	Razón tendrán si se niegan.

(Se sientan todos alrededor de la mesa en que están DON LUIS MEJÍA *y* DON JUAN TENORIO.*)*

DON JUAN	¿Estamos listos?
DON LUIS	Estamos.
DON JUAN	Como quien somos cumplimos.
DON LUIS	Veamos, pues, lo que hicimos.

DON JUAN	Bebamos antes.
DON LUIS	Bebamos. *(Lo hacen.)*
DON JUAN	La apuesta fue...
DON LUIS	Porque un día

dije que en España entera
no habría nadie que hiciera
lo que hiciera Luis Mejía.

DON JUAN	Y siendo contradictorio

al vuestro mi parecer,
yo os dije: nadie ha de hacer
lo que hará don Juan Tenorio.
¿No es así?

DON LUIS	Sin duda alguna;

y vinimos a apostar
quién de ambos sabría obrar
peor, con mejor fortuna,
en el término de un año;
juntándonos aquí hoy
a probarlo.

DON JUAN	Y aquí estoy.
DON LUIS	Y yo.
CENTELLAS	¡Empeño bien extraño,

por vida mía!

DON JUAN	Hablad pues.
DON LUIS	No, vos debéis empezar.
DON JUAN	Como gustéis, igual es,

que nunca me hago esperar.
Pues, señor, yo desde aquí,
buscando mayor espacio
para mis hazañas, di
sobre Italia, porque allí
tiene el placer un palacio.
De la guerra y del amor
antigua y clásica tierra,
y en ella el Emperador,

con ella y con Francia en guerra,
díjeme: «¿Dónde mejor?
Donde hay soldados hay juego,
hay pendencias y amoríos».
Di, pues, sobre Italia luego
buscando a sangre y a fuego
amores y desafíos.
En Roma, a mi apuesta fiel,
fijé entre hostil y amatorio
en mi puerta este cartel:
«Aquí está don Juan Tenorio
para quien quiera algo de él».
De aquellos días la historia
a relataros renuncio:
remítome a la memoria
que dejé allí, y de mi gloria
podéis juzgar por mi anuncio.
Las romanas caprichosas,
las costumbres licenciosas,
yo gallardo y calavera,
¿quién a cuento redujera
mis empresas amorosas?
Salí de Roma por fin
como os podéis figurar,
con un disfraz harto ruin,
y a lomos de un mal rocín,
pues me querían ahorcar.
Fui al ejército de España,
mas todos paisanos míos,
soldados y en tierra extraña,
dejé pronto su compaña
tras cinco o seis desafíos.
Nápoles, rico vergel
de amor, de placer emporio,
vio en mi segundo cartel:

«Aquí está don Juan Tenorio,
y no hay hombre para él.
Desde la princesa altiva
a la que pesca en ruin barca,
no hay hembra a quien no suscriba,
y a cualquier empresa abarca
si en oro o valor estriba.
Búsquenle los reñidores;
cérquenle los jugadores;
quien se precie que le ataje
y a ver si hay quien le aventaje
en juego, en lid o en amores».
Esto escribí; y en medio año
que mi presencia gozó
Nápoles, no hay lance extraño,
no hay escándalo ni engaño
en que no me hallara yo.
Por donde quiera que fui,
la razón atropellé,
la virtud escarnecí,
a la justicia burlé
y a las mujeres vendí.
Yo a las cabañas bajé,
yo a los palacios subí,
yo los claustros escalé,
y en todas partes dejé
memoria amarga de mí.
Ni reconocí sagrado,
ni hubo ocasión ni lugar
por mi audacia respetado;
ni en distinguir me he parado
al clérigo del seglar.
A quien quise provoqué,
con quien quiso me batí,
y nunca consideré

que pudo matarme a mí
aquel a quien yo maté.
A esto don Juan se arrojó,
y escrito en este papel
está cuanto consiguió:
y lo que él aquí escribió
mantenido está por él.

DON LUIS   Leed pues.
DON JUAN   No, oigamos antes
vuestros bizarros extremos,
y si traéis terminantes
vuestras notas comprobantes,
lo escrito cotejaremos.

DON LUIS   Decís bien; cosa es que está,
don Juan, muy puesta en razón;
aunque a mi ver poco irá
de una a otra relación.

DON JUAN   Empezad pues.
DON LUIS   Allá va.
Buscando yo como vos
a mi aliento empresas grandes,
dije: «¿Dó iré, ¡vive Dios!,
de amor y lides en pos,
que vaya mejor que a Flandes?
Allí, puesto que empeñadas
guerras hay, a mis deseos
habrá al par centuplicadas
ocasiones extremadas
de riñas y galanteos».
Y en Flandes conmigo di,
mas con tan negra fortuna,
que al mes de encontrarme allí
todo mi caudal perdí,
dobla a dobla, una por una.
En tan total carestía

mirándome de dineros,
de mí todo el mundo huía;
mas yo busqué compañía
y me uní a unos bandoleros.
Lo hicimos bien, ¡voto a tal!,
y fuimos tan adelante
con suerte tan colosal,
que entramos a saco en Gante
el palacio episcopal.
¡Qué noche! Por el decoro
de la Pascua, el buen obispo
bajó a presidir el coro,
y aún de alegría me crispo
al recordar su tesoro.
Todo cayó en poder nuestro;
mas mi capitán, avaro,
puso mi parte en secuestro:
reñimos, fui yo más diestro
y le crucé sin reparo.
Juróme al punto la gente
capitán, por más valiente;
juréles yo amistad franca;
pero a la noche siguiente
huí y les dejé sin blanca.
Yo me acordé del refrán
de que quien roba al ladrón
ha cien años de perdón,
y me arrojé a tal desmán
mirando mi salvación.
Pasé a Alemania opulento,
mas un Provincial jerónimo,
hombre de mucho talento,
me conoció, y al momento
me delató en un anónimo.
Compré a fuerza de dinero

la libertad y el papel;
y topando en un sendero
al fraile, le envié certero
una bala envuelta en él.
Salté a Francia. ¡Buen país!
Y como en Nápoles vos,
puse un cartel en París
diciendo: «Aquí hay un don Luis
que vale lo menos dos.
Parará aquí algunos meses,
y no trae más intereses
ni se aviene a más empresas
que a adorar a las francesas
y a reñir con los franceses».
Esto escribí; y en medio año
que mi presencia gozó
París, no hubo lance extraño
ni hubo escándalo ni daño
donde no me hallara yo.
Mas, como don Juan, mi historia
también a alargar renuncio;
que basta para mi gloria
la magnífica memoria
que allí dejé con mi anuncio.
Y cual vos, por donde fui
la razón atropellé,
la virtud escarnecí,
a la justicia burlé
y a las mujeres vendí.
Mi hacienda llevo perdida
tres veces, mas se me antoja
reponerla, y me convida
mi boda comprometida
con doña Ana de Pantoja.
Mujer muy rica me dan,

y mañana hay que cumplir
los tratos que hechos están;
lo que os advierto, don Juan,
por si queréis asistir.
A esto don Luis se arrojó,
y escrito en este papel
está lo que consiguió:
y lo que él aquí escribió
mantenido está por él.

DON JUAN   La historia es tan semejante
que está en el fiel la balanza;
mas vamos a lo importante,
que es el guarismo a que alcanza
el papel: conque adelante.

DON LUIS   Razón tenéis en verdad.
Aquí está el mío: mirad,
por una línea apartados
traigo los nombres sentados
para mayor claridad.

DON JUAN   Del mismo modo arregladas
mis cuentas traigo en el mío:
en dos líneas separadas
los muertos en desafío
y las mujeres burladas.
Contad.

DON LUIS   Contad.

DON JUAN   Veintitrés.

DON LUIS   Son los muertos. A ver vos.
¡Por la cruz de San Andrés!
Aquí sumo treinta y dos.

DON JUAN   Son los muertos.

DON LUIS   Matar es.

DON JUAN   Nueve os llevo.

DON LUIS   Me vencéis.
Pasemos a las conquistas.

DON JUAN	Sumo aquí cincuenta y seis.
DON LUIS	Y yo sumo en vuestras listas
	setenta y dos.
DON JUAN	Pues perdéis.
DON LUIS	¡Es increíble, don Juan!
DON JUAN	Si lo dudáis, apuntados
	los testigos ahí están,
	que si fueren preguntados
	os lo testificarán.
DON LUIS	¡Oh! Y vuestra lista es cabal.
DON JUAN	Desde una princesa real
	a la hija de un pescador;
	¡oh!, ha recorrido mi amor
	toda la escala social.
	¿Tenéis algo que tachar?
DON LUIS	Sólo una os falta en justicia.
DON JUAN	¿Me la podéis señalar?
DON LUIS	Sí por cierto; una novicia
	que esté para profesar.
DON JUAN	¡Bah! Pues yo os complaceré
	doblemente, porque os digo
	que a la novicia uniré
	la dama de algún amigo
	que para casarse esté.
DON LUIS	¡Pardiez que sois atrevido!
DON JUAN	Yo os lo apuesto si queréis.
DON LUIS	Digo que acepto el partido.
	Para darlo por perdido
	¿queréis veinte días?
DON JUAN	Seis.
DON LUIS	¡Por Dios, que sois hombre extraño!
	¿Cuántos días empleáis
	en cada mujer que amáis?
DON JUAN	Partid los días del año
	entre las que ahí encontráis.

Uno para enamorarlas,
otro para conseguirlas,
otro para abandonarlas,
dos para sustituirlas
y una hora para olvidarlas.
Pero la verdad a hablaros
pedir más no se me antoja,
porque, pues vais a casaros,
mañana pienso quitaros
a doña Ana de Pantoja.

DON LUIS	Don Juan, ¿qué es lo que decís?
DON JUAN	Don Luis, lo que oído habéis.
DON LUIS	Ved, don Juan, lo que emprendéis.
DON JUAN	Lo que he de lograr, don Luis.
DON LUIS	Gastón.
GASTÓN	¿Señor?
DON LUIS	Ven acá.

(Habla DON LUIS *en secreto con* GASTÓN, *y éste se va precipitadamente.)*

DON JUAN	Ciutti.
CIUTTI	¿Señor?
DON JUAN	Ven aquí.

*(*DON JUAN *ídem con* CIUTTI, *que hace lo mismo.)*

DON LUIS	¿Estáis en lo dicho?
DON JUAN	Sí.
DON LUIS	Pues va la vida.
DON JUAN	Pues va.

*(*DON GONZALO, *levantándose de la mesa en que ha permanecido inmóvil durante la escena anterior, se afronta con* DON JUAN *y* DON LUIS.)*

DON GONZALO   ¡Insensatos! Vive Dios
                que a no temblarme las manos
                a palos como a villanos
                os diera muerte a los dos.

DON JUAN y DON LUIS *(Empuñando.)*
                Veamos.

DON GONZALO   Excusado es,
                que he vivido lo bastante
                para no estar arrogante
                donde no puedo.

DON JUAN   Idos pues.

DON GONZALO   Antes, don Juan, de salir
                de donde oírme podáis,
                es necesario que oigáis
                lo que os tengo que decir.
                Vuestro buen padre don Diego,
                porque pleitos acomoda,
                os apalabró una boda
                que iba a celebrarse luego;
                pero por mí mismo yo
                lo que erais queriendo ver,
                vine aquí al anochecer,
                y el veros me avergonzó.

DON JUAN   ¡Por Satanás, viejo insano,
                que no sé cómo he tenido
                calma para haberte oído
                sin asentarte la mano!
                ¡Pero di pronto quién eres,
                porque me siento capaz
                de arrancarte el antifaz
                con el alma que tuvieres!

DON GONZALO   ¡Don Juan!

DON JUAN   ¡Pronto!

DON GONZALO   Mira, pues.

DON JUAN   ¡Don Gonzalo!

DON GONZALO	El mismo soy.
	Y adiós, don Juan; mas desde hoy
	no penséis en doña Inés.
	Porque antes que consentir
	en que se case con vos,
	el sepulcro, ¡juro a Dios!,
	por mi mano la he de abrir.
DON JUAN	Me hacéis reír, don Gonzalo;
	pues venirme a provocar
	es como ir a amenazar
	a un león con un mal palo.
	Y pues hay tiempo, advertir
	os quiero a mi vez a vos,
	que o me la dais, o por Dios,
	que a quitárosla he de ir.
DON GONZALO	¡Miserable!
DON JUAN	Dicho está:
	sólo una mujer como ésta
	me falta para mi apuesta;
	ved, pues, que apostada va.

(DON DIEGO, *levantándose de la mesa en que ha permanecido encubierto mientras la escena anterior, baja al centro de la escena, encarándose con* DON JUAN.)

DON DIEGO	No puedo más escucharte,
	vil don Juan, porque recelo
	que hay algún rayo en el cielo
	preparado a aniquilarte.
	¡Ah...! No pudiendo creer
	lo que de ti me decían,
	confiando en que mentían,
	te vine esta noche a ver.
	Pero te juro, malvado,
	que me pesa haber venido

	para salir convencido
	de lo que es para ignorado.
	Sigue, pues, con ciego afán
	en tu torpe frenesí,
	mas nunca vuelvas a mí;
	no te conozco, don Juan.
DON JUAN	¿Quién nunca a ti se volvió
	ni quién osa hablarme así,
	ni qué se me importa a mí
	que me conozcas o no?
DON DIEGO	Adiós, pues, mas no te olvides
	de que hay un Dios justiciero.
DON JUAN	Ten. *(Deteniéndole.)*
DON DIEGO	¿Qué quieres?
DON JUAN	Verte quiero.
DON DIEGO	Nunca, en vano me lo pides.
DON JUAN	¿Nunca?
DON DIEGO	No.
DON JUAN	Cuando me cuadre.
DON DIEGO	¿Cómo?
DON JUAN	Así. *(Le arranca el antifaz.)*
TODOS	¡Don Juan!
DON DIEGO	¡Villano!
	¡Me has puesto en la faz la mano!
DON JUAN	¡Válgame Cristo, mi padre!
DON DIEGO	Mientes, no lo fui jamás.
DON JUAN	¡Reportaos, con Belcebú!
DON DIEGO	No, los hijos como tú
	son hijos de Satanás.
	Comendador, nulo sea
	lo hablado.
DON GONZALO	Ya lo es por mí;
	vamos.
DON DIEGO	Sí, vamos de aquí
	donde tal monstruo no vea.

<blockquote>
Don Juan, en brazos del vicio
desolado te abandono:
me matas..., mas te perdono
de Dios en el santo juicio.
</blockquote>

(Vanse poco a poco Don Diego *y* Don Gonzalo.*)*

Don Juan

<blockquote>
Largo el plazo me ponéis,
mas ved que os quiero advertir
que no os he ido a pedir
jamás que me perdonéis.
Conque no paséis afán
de aquí en adelante por mí,
que como vivió hasta aquí,
vivirá siempre don Juan.
</blockquote>

ESCENA XIII

Don Juan, Don Luis, Centellas, Avellaneda, Buttarelli, curiosos, máscaras

Don Juan

<blockquote>
¡Eh! Ya salimos del paso:
y no hay que extrañar la homilia;
son pláticas de familia,
de las que nunca hice caso.
Conque lo dicho, don Luis,
van doña Ana y doña Inés
en apuesta.
</blockquote>

Don Luis

<blockquote>
          Y el precio es
la vida.
</blockquote>

Don Juan

<blockquote>
        Vos lo decís:
vamos.
</blockquote>

Don Luis

<blockquote>
        Vamos.
</blockquote>

(Al salir se presenta una ronda, que les de-tiene.)

ESCENA XIV

DICHOS. UNA RONDA DE ALGUACILES

ALGUACIL   Alto allá.
                    ¿Don Juan Tenorio?
DON JUAN   Yo soy.
ALGUACIL   Sed preso.
DON JUAN   Soñando estoy.
                    ¿Por qué?
ALGUACIL   Después lo verá.
DON LUIS *(Acercándose a* DON JUAN *y riéndose.)*
                    Tenorio, no lo extrañéis,
                    pues mirando a lo apostado,
                    mi paje os ha delatado,
                    para que vos no ganéis.
DON JUAN   ¡Hola! Pues no os suponía
                    con tal despejo, ¡pardiez!
DON LUIS   Id pues; que por esta vez,
                    don Juan, la partida es mía.
DON JUAN   Vamos pues.

                    *(Al salir, les detiene otra ronda que entra en
                    la escena.)*

ESCENA XV

DICHOS. UNA RONDA

ALGUACIL *(Que entra.)*
                          ¡Ténganse allá!
                    ¿Don Luis Mejía?
DON LUIS   Yo soy.
ALGUACIL   Sed preso.

Don Luis   Soñando estoy.
                       ¡Yo preso!
Don Juan (*Soltando la carcajada.*)
                              ¡Ja, ja, ja, ja!
                       Mejía, no lo extrañéis,
                       pues mirando a lo apostado,
                       mi paje os ha delatado
                       para que no me estorbéis.
Don Luis   Satisfecho quedaré
                       aunque ambos muramos.
Don Juan   Vamos:
                       Conque, señores, quedamos
                       en que la apuesta está en pie.

                       (*Las rondas se llevan a* Don Juan *y a* Don
                       Luis; *muchos los siguen. El* Capitán Cen-
                       tellas, Avellaneda *y sus amigos quedan
                       en la escena mirándose unos a otros.*)

                       ESCENA XVI

        El Capitán Centellas, Avellaneda, curiosos

Avellaneda   ¡Parece un juego ilusorio!
Centellas   ¡Sin verlo no lo creería!
Avellaneda   Pues yo apuesto por Mejía.
Centellas   Y yo pongo por Tenorio.

                  FIN DEL ACTO PRIMERO

Acto segundo
Destreza

Personas

DON JUAN TENORIO
DON LUIS MEJÍA
DOÑA ANA DE PANTOJA
CIUTTI
PASCUAL
LUCÍA
BRÍGIDA

Tres embozados del servicio de Don Juan

Exterior de la casa de doña Ana vista por una esquina. Las paredes que forman el ángulo se prolongan igualmente por ambos lados, dejando ver en la de la derecha una reja, y en la izquierda, una reja y una puerta.

ESCENA PRIMERA

Don Luis Mejía, *embozado*

Don Luis   Ya estoy frente de la casa
              de doña Ana, y es preciso
              que esta noche tenga aviso
              de lo que en Sevilla pasa.
              No di con persona alguna
              por dicha mía... ¡Oh, qué afán!
              Pero ahora, señor don Juan,
              cada cual con su fortuna.
              Si honor y vida se juega,
              mi destreza y mi valor
              por mi vida y por mi honor
              jugarán..., mas alguien llega.

ESCENA II

DON LUIS y PASCUAL

PASCUAL	¡Quién creyera lance tal!
	¡Jesús, qué escándalo! ¡Presos!
DON LUIS	¡Qué veo! ¿Es Pascual?
PASCUAL	Los sesos
	me estrellaría.
DON LUIS	¿Pascual?
PASCUAL	¿Quién me llama tan apriesa?
DON LUIS	Yo. Don Luis.
PASCUAL	¡Válame Dios!
DON LUIS	¿Qué te asombra?
PASCUAL	Que seáis vos.
DON LUIS	Mi suerte, Pascual, es ésa.
	Que a no ser yo quien me soy
	y a no dar contigo ahora,
	el honor de mi señora
	doña Ana moría hoy.
PASCUAL	¿Qué es lo que decís?
DON LUIS	¿Conoces
	a don Juan Tenorio?
PASCUAL	Sí.
	¿Quién no le conoce aquí?
	Mas, según públicas voces,
	estabais presos los dos.
	Vamos, ¡lo que el vulgo miente!
DON LUIS	Ahora acertadamente
	habló el vulgo; y juro a Dios
	que a no ser porque mi primo,
	el tesorero real,
	quiso fiarme, Pascual,
	pierdo cuanto más estimo.

PASCUAL   ¿Pues cómo?
DON LUIS   ¿En servirme estás?
PASCUAL   Hasta morir.
DON LUIS   Pues escucha.
               Don Juan y yo en una lucha
               arriesgada por demás
               empeñados nos hallamos;
               pero, a querer tú ayudarme,
               más que la vida salvarme
               puedes.
PASCUAL   ¿Qué hay que hacer? Sepamos.
DON LUIS   En una insigne locura
               dimos tiempo ha: en apostar
               cuál de ambos sabría obrar
               peor, con mejor ventura.
               Ambos nos hemos portado
               bizarramente a cuál más;
               pero él es un Satanás,
               y por fin me ha aventajado.
               Púsele no sé qué pero,
               dijímonos no sé qué
               sobre ello, y el hecho fue
               que él, mofándome altanero,
               me dijo: «Y si esto no os llena,
               pues que os casáis con doña Ana,
               os apuesto a que mañana
               os la quito yo».
PASCUAL   ¡Ésa es buena!
               ¿Tal se ha atrevido a decir?
DON LUIS   No es lo malo que lo diga,
               Pascual, sino que consiga
               lo que intenta.
PASCUAL   ¿Conseguir?
               En tanto que yo esté aquí,
               descuidad, don Luis.

DON LUIS	Te juro
	que si el lance no aseguro
	no sé qué va a ser de mí.
PASCUAL	¡Por la Virgen del Pilar!,
	¿le teméis?
DON LUIS	No, ¡Dios testigo!
	Mas lleva ese hombre consigo
	algún diablo familiar.
PASCUAL	Dadlo por asegurado.
DON LUIS	¡Oh! Tal es el afán mío
	que ni en mí propio me fío
	con un hombre tan osado.
PASCUAL	Yo os juro por San Ginés
	que con toda su osadía
	le ha de hacer, por vida mía,
	mal tercio un aragonés:
	nos veremos.
DON LUIS	¡Ay, Pascual,
	que en qué te metes no sabes!
PASCUAL	En apreturas más graves
	me he visto y no salí mal.
DON LUIS	Estriba en lo perentorio
	del plazo, y en ser quien es.
PASCUAL	Más que un buen aragonés
	no ha de valer un Tenorio.
	Todos esos lenguaraces
	espadachines de oficio
	no son más que frontispicio
	y de poca alma capaces.
	Para infamar a mujeres
	tienen lengua, y tienen manos
	para osar a los ancianos
	o apalear a mercaderes.
	Mas cuando una buena espada
	por un buen brazo esgrimida

con la muerte les convida,
todo su valor es nada.
Y sus empresas y bullas
se reducen todas ellas
a hablar mal de las doncellas
y a huir ante las patrullas.

DON LUIS ¡Pascual!

PASCUAL No lo hablo por vos,
que, aunque sois un calavera,
tenéis la alma bien entera
y reñís bien, ¡voto a briós!

DON LUIS Pues si es en mí tan notorio
el valor, mira, Pascual,
que el valor es proverbial
en la raza de Tenorio.
Y porque conozco bien
de su valor el extremo,
de sus ardides me temo
que en tierra con mi honra den.

PASCUAL Pues suelto estáis ya, don Luis,
y pues que tanto os acucia
el mal de celos, su astucia
con la astucia prevenís.
¿Qué teméis de él?

DON LUIS No lo sé;
mas esta noche sospecho
que ha de procurar el hecho
consumar.

PASCUAL Soñáis.

DON LUIS ¿Por qué?

PASCUAL ¿No está preso?

DON LUIS Sí que está;
mas también lo estaba yo
y un hidalgo me fió.

PASCUAL ¿Mas quién a él le fiará?

DON LUIS	En fin, sólo un medio encuentro de satisfacerme.
PASCUAL	¿Cuál?
DON LUIS	Que de esta casa, Pascual, quede yo esta noche dentro.
PASCUAL	Mirad que así de doña Ana tenéis el honor vendido.
DON LUIS	¡Qué mil rayos! ¿Su marido no voy a ser yo mañana?
PASCUAL	Mas, señor, ¿no os digo yo que os fío con la existencia?...
DON LUIS	Sí, salir de una pendencia, mas de un ardid diestro, no. Y en fin, o paso en la casa la noche, o tomo la calle aunque la justicia me halle.
PASCUAL	Señor don Luis, eso pasa de terquedad, y es capricho que dejar os aconsejo, y os irá bien.
DON LUIS	No lo dejo, Pascual.
PASCUAL	¡Don Luis!
DON LUIS	Está dicho.
PASCUAL	¡Vive Dios! ¿Hay tal afán?
DON LUIS	Tú dirás lo que quisieres, mas yo fío en las mujeres mucho menos que en don Juan. Y pues lance es extremado por dos locos emprendido, bien será un loco atrevido para un loco desalmado.
PASCUAL	Mirad bien lo que decís, porque yo sirvo a doña Ana desde que nació, y mañana

	seréis su esposo, don Luis.
DON LUIS	Pascual, esa hora llegada
	y ese derecho adquirido,
	yo sabré ser su marido
	y la haré ser bien casada.
	Mas en tanto...
PASCUAL	No habléis más.
	Yo os conozco desde niños
	y sé lo que son cariños,
	¡por vida de Barrabás!
	Oíd: mi cuarto es sobrado
	para los dos: dentro de él
	quedad; mas palabra fiel
	dadme de estaros callado.
DON LUIS	Te la doy.
PASCUAL	Y hasta mañana
	juntos con doble cautela
	nos quedaremos en vela.
DON LUIS	Y se salvará doña Ana.
PASCUAL	Sea.
DON LUIS	Pues vamos.
PASCUAL	¡Teneos!
	¿Qué vais a hacer?
DON LUIS	A entrar.
PASCUAL	¿Ya?
DON LUIS	¿Quién sabe lo que él hará?
PASCUAL	Vuestros celosos deseos
	reprimid: que ser no puede
	mientras que no se recoja
	mi amo don Gil de Pantoja
	y todo en silencio quede.
DON LUIS	¡Voto a...!
PASCUAL	¡Eh! Dad una vez
	breves treguas al amor.
DON LUIS	¿Y a qué hora ese buen señor

                              suele acostarse?

PASCUAL   A las diez;
                              y en esa calleja estrecha
                              hay una reja; llamad
                              a las diez, y descuidad
                              mientras en mí.

DON LUIS   Es cosa hecha.

PASCUAL   Don Luis, hasta luego pues.

DON LUIS   Adiós, Pascual, hasta luego.

                              ESCENA III

                              DON LUIS

DON LUIS   Jamás tal desasosiego
                   tuve. Paréceme que es
                   esta noche hora menguada
                   para mí... y no sé qué vago
                   presentimiento, qué estrago
                   teme mi alma acongojada.
                   ¡Por Dios que nunca pensé
                   que a doña Ana amara así
                   ni por ninguna sentí
                   lo que por ella!... ¡Oh! Y a fe
                   que de don Juan me amedrenta
                   no el valor, mas la ventura.
                   Parece que le asegura
                   Satanás en cuanto intenta.
                   No, no; es un hombre infernal,
                   y téngome para mí
                   que si me aparto de aquí,
                   me burla, pese a Pascual.
                   Y aunque me tenga por necio,
                   quiero entrar; que con don Juan

las preocupaciones no están
para vistas con desprecio.

(Llama a la ventana.)

ESCENA IV

Don Luis y Doña Ana

DOÑA ANA	¿Quién va?
DON LUIS	¿No es Pascual?
DOÑA ANA	¡Don Luis!
DON LUIS	Doña Ana.
DOÑA ANA	¿Por la ventana
	llamas ahora?
DON LUIS	¡Ay, doña Ana,
	cuán a buen tiempo salís!
DOÑA ANA	Pues ¿qué hay, Mejía?
DON LUIS	Un empeño
	por tu beldad con un hombre
	que temo.
DOÑA ANA	¿Y qué hay que te asombre
	en él, cuando eres tú el dueño
	de mi corazón?
DON LUIS	Doña Ana,
	no lo puedes comprender,
	de ese hombre sin conocer
	nombre y suerte.
DOÑA ANA	Será vana
	su buena suerte conmigo:
	ya ves, sólo horas nos faltan

	para la boda, y te asaltan vanos temores.
DON LUIS	Testigo me es Dios que nada por mí me da pavor mientras tenga espada, y ese hombre venga cara a cara contra ti. Mas como el león audaz y cauteloso y prudente, como la astuta serpiente...
DOÑA ANA	¡Bah! Duerme, don Luis, en paz, que su audacia y su prudencia nada lograrán de mí, que tengo cifrada en ti la gloria de mi existencia.
DON LUIS	Pues bien, Ana, de ese amor que me aseguras en nombre, para no temer a ese hombre voy a pedirte un favor.
DOÑA ANA	Di; más bajo, por si escucha tal vez alguno.
DON LUIS	Oye, pues...

ESCENA V

DOÑA ANA *y* DON LUIS, *a la reja derecha.* DON JUAN *y* CIUTTI,
en la calle izquierda

CIUTTI	Señor, ¡por mi vida que es vuestra suerte buena y mucha!
DON JUAN	Ciutti, nadie como yo; ya viste cuán fácilmente

	el buen alcaide prudente
	se avino y suelta me dio.
	Mas no hay ya en ello que hablar:
	¿mis encargos has cumplido?

CIUTTI   Todos los he concluido
mejor que pude esperar.

DON JUAN   ¿La beata?...

CIUTTI   Ésta es la llave
de la puerta del jardín,
que habrá que escalar al fin,
pues como usarced ya sabe,
las tapias de ese convento
no tienen entrada alguna.

DON JUAN   ¿Y te dio carta?

CIUTTI   Ninguna;
me dijo que aquí al momento
iba a salir de camino;
que al convento se volvía
y que con vos hablaría.

DON JUAN   Mejor es.

CIUTTI   Lo mismo opino.

DON JUAN   ¿Y los caballos?

CIUTTI   Con silla
y freno los tengo ya.

DON JUAN   ¿Y la gente?

CIUTTI   Cerca está.

DON JUAN   Bien, Ciutti; mientras Sevilla
tranquila en sueño reposa
creyéndome encarcelado,
otros dos nombres añado
a mi lista numerosa.
¡Ja, ja!

CIUTTI   Señor.

DON JUAN   ¿Qué?

CIUTTI   Callad.

DON JUAN	¿Qué hay, Ciutti?
CIUTTI	Al doblar la esquina

en esa reja vecina
he visto un hombre.

DON JUAN	Es verdad;

pues ahora sí que es mejor
el lance; ¿y si es ése?

CIUTTI	¿Quién?
DON JUAN	Don Luis.
CIUTTI	Imposible.
DON JUAN	¡Toma!

¿No estoy yo aquí?

CIUTTI	Diferencia

va de él a vos.

DON JUAN	Evidencia

lo creo, Ciutti; allí asoma
tras de la reja una dama.

CIUTTI	Una criada tal vez.
DON JUAN	Preciso es verlo, ¡pardiez!,

no perdamos lance y fama.
Mira, Ciutti: a fuer de ronda,
tú con varios de los míos
por esa calle escurríos
dando vuelta a la redonda
a la casa.

CIUTTI	Y en tal caso

cerrará ella.

DON JUAN	Pues con eso,

ella ignorante y él preso,
nos dejarán franco el paso.

CIUTTI	Decís bien.
DON JUAN	Corre, y atájale,

que en ello el vencer consiste.

CIUTTI	¿Mas si el truhán se resiste?
DON JUAN	Entonces de un tajo rájale.

ESCENA VI

Don Juan, Doña Ana y Don Luis

Don Luis	¿Me das, pues, tu asentimiento?
Doña Ana	Consiento.
Don Luis	¿Complácesme de ese modo?
Doña Ana	En todo.
Don Luis	Pues te velaré hasta el día.
Doña Ana	Sí, Mejía.
Don Luis	Páguete el cielo, Ana mía, satisfacción tan entera.
Doña Ana	Porque me juzgues sincera, consiento en todo, Mejía.
Don Luis	Volveré, pues, otra vez.
Doña Ana	Sí, a las diez.
Don Luis	¿Me aguardarás, Ana?
Doña Ana	Sí.
Don Luis	Aquí.
Doña Ana	Y tú estarás puntual, ¿eh?
Don Luis	Estaré.
Doña Ana	La llave, pues, te daré.
Don Luis	Y dentro yo de tu casa, venga Tenorio.
Doña Ana	Alguien pasa. A las diez.
Don Luis	Aquí estaré.

ESCENA VII

DON JUAN y DON LUIS

DON LUIS	Mas se acercan. ¿Quién va allá?
DON JUAN	Quien va.
DON LUIS	De quien va así, ¿qué se infiere?
DON JUAN	Que quiere.
DON LUIS	¿Ver si la lengua le arranco?
DON JUAN	El paso franco.
DON LUIS	Guardado está.
DON JUAN	¿Y yo soy manco?
DON LUIS	Pidiéraislo en cortesía.
DON JUAN	¿Y a quién?
DON LUIS	A don Luis Mejía.
DON JUAN	Quien va quiere el paso franco.
DON LUIS	¿Conocéisme?
DON JUAN	Sí.
DON LUIS	¿Y yo a vos?
DON JUAN	Los dos.
DON LUIS	¿Y en qué estriba el estorballe?
DON JUAN	En la calle.
DON LUIS	¿De ella los dos por ser amos?
DON JUAN	Estamos.
DON LUIS	Dos hay no más que podamos necesitarle a la vez.
DON JUAN	Lo sé.
DON LUIS	¡Sois don Juan!
DON JUAN	¡Pardiez! Los dos ya en la calle estamos.
DON LUIS	¿No os prendieron?
DON JUAN	Como a vos.
DON LUIS	¡Vive Dios! ¿Y huisteis?
DON JUAN	Os imité: ¿Y qué?

Don Luis	Que perderéis.
Don Juan	No sabemos.
Don Luis	Lo veremos.
Don Juan	La dama entrambos tenemos
	sitiada, y estáis cogido.
Don Luis	Tiempo hay.
Don Juan	Para vos perdido.
Don Luis	¡Vive Dios, que lo veremos!

(Don Luis *desenvaina su espada; mas* Ciutti, *que ha bajado con los suyos cautelosamente hasta colocarse tras él, le sujeta.*)

Don Juan	Señor don Luis, vedlo, pues.
Don Luis	Traición es.
Don Juan	La boca...

(*A los suyos, que se la tapan a* Don Luis.)

Don Luis	¡Oh!

(*Le sujetan los brazos.*)

Don Juan	Sujeto atrás:
	más.
	La empresa es, señor Mejía,
	como mía.
	Encerrádmele hasta el día. (*A los suyos.*)
	La apuesta está ya en mi mano.
	(*A* Don Luis.) Adiós, don Luis: si os la gano,
	traición es, mas como mía.

ESCENA VIII

Don Juan

Don Juan   Buen lance, ¡viven los cielos!
Éstos son los que dan fama:
mientras le soplo la dama
él se arrancará los pelos
encerrado en mi bodega.
¿Y ella? Cuando crea hallarse
con él..., ¡ja, ja!... ¡Oh!, y quejarse
no puede; limpio se juega.
A la cárcel le llevé,
y salió; llevóme a mí,
y salí; hallarnos aquí
era fuerza... Ya se ve;
su parte en la grave apuesta
defendía cada cual.
Mas con la suerte está mal
Mejía, y también pierde ésta.
Sin embargo, y por si acaso,
no es de más asegurarse
de Lucía, a desgraciarse
no vaya por poco el paso.
Mas por allí un bulto negro
se aproxima..., y a mi ver,
es el bulto una mujer.
¿Otra aventura? Me alegro.

ESCENA IX

DON JUAN y BRÍGIDA

BRÍGIDA	¿Caballero?
DON JUAN	¿Quién va allá?
BRÍGIDA	¿Sois don Juan?
DON JUAN	¡Por vida de...!
	¡Si es la beata! ¡Y a fe
	que la había olvidado ya!
	Llegaos; don Juan soy yo.
BRÍGIDA	¿Estáis solo?
DON JUAN	Con el diablo.
BRÍGIDA	¡Jesucristo!
DON JUAN	Por vos lo hablo.
BRÍGIDA	¿Soy yo el diablo?
DON JUAN	Créolo.
BRÍGIDA	¡Vaya! Qué cosas tenéis;
	vos sí que sois un diablillo...
DON JUAN	Que te llenará el bolsillo
	si le sirves.
BRÍGIDA	Lo veréis.
DON JUAN	Descarga, pues, ese pecho.
	¿Qué hiciste?
BRÍGIDA	Cuanto me ha dicho
	vuestro paje..., ¡y qué mal bicho
	es ese Ciutti!
DON JUAN	¿Qué ha hecho?
BRÍGIDA	¡Gran bribón!
DON JUAN	¿No os ha entregado
	un bolsillo y un papel?
BRÍGIDA	Leyendo estará ahora en él
	doña Inés.
DON JUAN	¿La has preparado?
BRÍGIDA	Vaya; y os la he convencido
	con tal maña y de manera,

que irá como una cordera
tras vos.

DON JUAN   ¡Tan fácil te ha sido!
BRÍGIDA   ¡Bah! Pobre garza enjaulada,
dentro la jaula nacida,
¿qué sabe ella si hay más vida
ni más aire en que volar?
Si no vio nunca sus plumas
del sol a los resplandores,
¿qué sabe de los colores
de que se puede ufanar?
No cuenta la pobrecilla
diecisiete primaveras,
y aún virgen a las primeras
impresiones del amor,
nunca concibió la dicha
fuera de su pobre estancia,
tratada desde su infancia
con cauteloso rigor.
Y tantos años monótonos
de soledad y convento
tenían su pensamiento
ceñido a punto tan ruin,
a tan reducido espacio,
y a círculo tan mezquino,
que era el claustro su destino
y el altar era su fin.
«Aquí está Dios», la dijeron;
y ella dijo: «Aquí le adoro».
«Aquí está el claustro y el coro.»
Y pensó: «No hay más allá».
Y sin otras ilusiones
que sus sueños infantiles,
pasó diecisiete abriles
sin conocerlo quizá.

Don Juan	¿Y está hermosa?
Brígida	¡Oh!, como un ángel.
Don Juan	¿Y la has dicho...?
Brígida	Figuraos

si habré metido mal caos
en su cabeza, don Juan.
La hablé del amor, del mundo,
de la corte y los placeres,
de cuánto con las mujeres
erais pródigo y galán.
La dije que erais el hombre
por su padre destinado
para suyo: os he pintado
muerto por ella de amor,
desesperado por ella
y por ella perseguido,
y por ella decidido
a perder vida y honor.
En fin, mis dulces palabras,
al posarse en sus oídos,
sus deseos mal dormidos
arrastraron de sí en pos;
y allá dentro de su pecho
han inflamado una llama
de fuerza tal, que ya os ama
y no piensa más que en vos.

Don Juan   Tan incentiva pintura
los sentidos me enajena,
y el alma ardiente me llena
de su insensata pasión.
Empezó por una apuesta,
siguió por un devaneo,
engendró luego un deseo
y hoy me quema el corazón.
Poco es el centro de un claustro;

¡al mismo infierno bajara,
y a estocadas la arrancara
de los brazos de Satán!
¡Oh, hermosa flor, cuyo cáliz
al rocío aún no se ha abierto!,
a trasplantarte va al huerto
de sus amores don Juan.
¿Brígida?

BRÍGIDA   Os estoy oyendo,
y me hacéis perder el tino:
yo os creía un libertino
sin alma y sin corazón.

DON JUAN   ¿Eso extrañas? ¿No está claro
que en un objeto tan noble
hay que interesarse doble
que en otros?

BRÍGIDA   Tenéis razón.

DON JUAN   ¿Conque a qué hora se recogen
las madres?

BRÍGIDA   Ya recogidas
estarán. ¿Vos prevenidas
todas las cosas tenéis?

DON JUAN   Todas.

BRÍGIDA   Pues luego que doblen
a las ánimas, con tiento
saltando al huerto, al convento
fácilmente entrar podéis
con la llave que os he enviado:
de un claustro oscuro y estrecho
es, seguidle bien derecho,
y daréis con poco afán
en nuestra celda.

DON JUAN   Y si acierto
a robar tan gran tesoro,
te he de hacer pesar en oro.

BRÍGIDA	Por mí no queda, don Juan.
DON JUAN	Ve y aguárdame.
BRÍGIDA	Voy, pues,

a entrar por la portería,
y a cegar a sor María,
la tornera. Hasta después.

(*Vase* BRÍGIDA, *y un poco antes de concluir
esta escena sale* CIUTTI, *que se para en el
fondo esperando.*)

ESCENA X

DON JUAN *y* CIUTTI

DON JUAN

Pues, señor, ¡soberbio envite!,
muchas hice hasta esta hora,
¡mas por Dios que la de ahora
será tal que me acredite!
Mas ya veo que me espera
Ciutti. ¿Lebrel? (*Llamándole.*)

CIUTTI

Aquí estoy.

DON JUAN

¿Y don Luis?

CIUTTI

Libre por hoy
estáis de él.

DON JUAN

Ahora quisiera
ver a Lucía.

CIUTTI

Llegar
podéis aquí. (*A la reja derecha.*) Yo la llamo,
y al salir a mi reclamo
la podéis vos abordar.

DON JUAN

Llama, pues.

CIUTTI

La seña mía

sabe bien para que dude
en acudir.

DON JUAN   Pues si acude,
lo demás es cuenta mía.

(CIUTTI *llama a la reja con una seña que*
parezca convenida. LUCÍA *se asoma a ella, y*
al ver a DON JUAN *se detiene un momento.*)

ESCENA XI

DON JUAN, LUCÍA y CIUTTI

LUCÍA   ¿Qué queréis, buen caballero?
DON JUAN   Quiero.
LUCÍA   ¿Qué queréis? Vamos a ver.
DON JUAN   Ver.
LUCÍA   ¿Ver? ¿Qué queréis a esta hora?
DON JUAN   A tu señora.
LUCÍA   Idos, hidalgo, en mal hora;
¿quién pensáis que vive aquí?
DON JUAN   Doña Ana Pantoja, y
quiero ver a tu señora.
LUCÍA   ¿Sabéis que casa doña Ana?
DON JUAN   Sí, mañana.
LUCÍA   ¿Y ha de ser tan infiel ya?
DON JUAN   Sí será.
LUCÍA   ¿Pues no es de don Luis Mejía?
DON JUAN   ¡Ca! Otro día.
Hoy no es mañana, Lucía:
yo he de estar hoy con doña Ana,
y si se casa mañana,
mañana será otro día.

LUCÍA	¡Ah! ¿En recibiros está?
DON JUAN	Podrá.
LUCÍA	¿Qué haré si os he de servir?
DON JUAN	Abrir.
LUCÍA	¡Bah! ¿Y quién abre este castillo?
DON JUAN	Ese bolsillo.
LUCÍA	¿Oro?
DON JUAN	Pronto te dio el brillo.
LUCÍA	¡Cuánto!
DON JUAN	De cien doblas pasa.
LUCÍA	¡Jesús!
DON JUAN	Cuenta y di: ¿esta casa podrá abrir ese bolsillo?
LUCÍA	¡Oh! Si es quien me dora el pico...
DON JUAN	Muy rico. (Interrumpiéndola.)
LUCÍA	¿Sí? ¿Qué nombre usa el galán?
DON JUAN	Don Juan.
LUCÍA	¿Sin apellido notorio?
DON JUAN	Tenorio.
LUCÍA	¡Ánimas del purgatorio! ¿Vos don Juan?
DON JUAN	¿Qué te amedrenta, si a tus ojos se presenta muy rico don Juan Tenorio?
LUCÍA	Rechina la cerradura.
DON JUAN	Se asegura.
LUCÍA	¿Y a mí quién, por Belcebú?
DON JUAN	Tú.
LUCÍA	¿Y qué me abrirá el camino?
DON JUAN	Buen tino.
LUCÍA	¡Bah! Ir en brazos del destino...
DON JUAN	Dobla el oro.
LUCÍA	Me acomodo.
DON JUAN	Pues mira cómo de todo se asegura tu buen tino.

Lucía	Dadme algún tiempo, ¡pardiez!
Don Juan	A las diez.
Lucía	¿Dónde os busco, o vos a mí?
Don Juan	Aquí.
Lucía	Conque estaréis puntual, ¿eh?
Don Juan	Estaré.
Lucía	Pues yo una llave os traeré.
Don Juan	Y yo otra igual cantidad.
Lucía	No me faltéis.
Don Juan	No en verdad;
	a las diez aquí estaré.
	Adiós pues, y en mí te fía.
Lucía	Y en mí el garboso galán.
Don Juan	Adiós pues, franca Lucía.
Lucía	Adiós pues, rico don Juan.

(Lucía *cierra la ventana.* Ciutti *se acerca
a* Don Juan *a una seña de éste.*)

ESCENA XII

Don Juan *y* Ciutti

Don Juan *(Riéndose.)*
                  Con oro nada hay que falle.
                  Ciutti, ya sabes mi intento:
                  a las nueve en el convento,
                  a las diez, en esta calle. *(Vanse.)*

FIN DEL ACTO SEGUNDO

Acto tercero
Profanación

Personas

Don Juan
Doña Inés
Don Gonzalo
Brígida
La abadesa
La tornera

Celda de doña Inés. Puerta en el fondo y a la izquierda.

ESCENA PRIMERA

Doña Inés y La abadesa

ABADESA	¿Conque me habéis entendido?
DOÑA INÉS	Sí, señora.
ABADESA	Está muy bien;
	la voluntad decisiva
	de vuestro padre tal es.
	Sois joven, cándida y buena;
	vivido en el claustro habéis
	casi desde que nacisteis;
	y para quedar en él
	atada con santos votos
	para siempre, ni aun tenéis,
	como otras, pruebas difíciles
	ni penitencias que hacer.
	¡Dichosa mil veces vos!
	Dichosa, sí, doña Inés,
	que no conociendo el mundo
	no le debéis de temer.

¡Dichosa vos, que del claustro
al pisar en el dintel
no os volveréis a mirar
lo que tras vos dejaréis!
Y los mundanos recuerdos
del bullicio y del placer
no os turbarán, tentadores,
del ara santa a los pies;
pues ignorando lo que hay
tras esa santa pared,
lo que tras ella se queda
jamás apeteceréis.
Mansa paloma enseñada
en las palmas a comer
del dueño que la ha criado
en doméstico vergel,
no habiendo salido nunca
de la protectora red,
no ansiaréis nunca las alas
por el espacio tender.
Lirio gentil, cuyo tallo
mecieron sólo tal vez
las embalsamadas brisas
del más florecido mes,
aquí a los besos del aura
vuestro cáliz abriréis,
y aquí vendrán vuestras hojas
tranquilamente a caer.
Y en el pedazo de tierra
que abarca nuestra estrechez,
y en el pedazo de cielo
que por las rejas se ve,
vos no veréis más que un lecho
do en dulce sueño yacer,
y un velo azul suspendido

a las puertas del Edén.
¡Ay! En verdad que os envidio,
venturosa doña Inés,
con vuestra inocente vida
la virtud del no saber.
Mas ¿por qué estáis cabizbaja?
¿Por qué no me respondéis
como otras veces alegre
cuando en lo mismo os hablé?
¿Suspiráis?... ¡Oh! Ya comprendo:
de vuelta aquí hasta no ver
a vuestra aya estáis inquieta;
pero nada receléis.
A casa de vuestro padre
fue casi al anochecer,
y abajo en la portería
estará: yo os la enviaré,
que estoy de vela esta noche.
Conque vamos, doña Inés,
recogeos, que ya es hora;
mal ejemplo no me deis
a las novicias, que ha tiempo
que duermen ya: hasta después.

DOÑA INÉS   Id con Dios, madre abadesa.
ABADESA   Adiós, hija.

ESCENA II

DOÑA INÉS

DOÑA INÉS   Ya se fue.
No sé qué tengo, ¡ay de mí!,
que en tumultuoso tropel

mil encontradas ideas
me combaten a la vez.
Otras noches complacida
sus palabras escuché;
y de esos cuadros tranquilos
que sabe pintar tan bien,
de esos placeres domésticos
la dichosa sencillez
y la calma venturosa,
me hicieron apetecer
la soledad de los claustros
y su santa rigidez.
Mas hoy la oí distraída,
y en sus pláticas hallé,
si no enojosos discursos,
a lo menos aridez.
Y no sé por qué al decirme
que podría acontecer
que se acelerase el día
de mi profesión, temblé;
y sentí del corazón
acelerarse el vaivén,
y teñírseme el semblante
de amarilla palidez.
¡Ay de mí!... Pero mi dueña
¿dónde estará?... Esa mujer
con sus pláticas al cabo
me entretiene alguna vez.
Y hoy la echo menos..., acaso
porque la voy a perder;
que en profesando es preciso
renunciar a cuanto amé.
Mas pasos siento en el claustro;
¡oh!, reconozco muy bien
sus pisadas... Ya está aquí.

ESCENA III

DOÑA INÉS y BRÍGIDA

BRÍGIDA	Buenas noches, doña Inés.
DOÑA INÉS	¿Cómo habéis tardado tanto?
BRÍGIDA	Voy a cerrar esta puerta.
DOÑA INÉS	Hay orden de que esté abierta.
BRÍGIDA	Eso es muy bueno y muy santo
	para las otras novicias
	que han de consagrarse a Dios;
	no, doña Inés, para vos.
DOÑA INÉS	Brígida, ¿no ves que vicias
	las reglas del monasterio,
	que no permiten...?
BRÍGIDA	¡Bah, bah!
	Más seguro así se está,
	y así se habla sin misterio
	ni estorbos: ¿habéis mirado
	el libro que os he traído?
DOÑA INÉS	¡Ay!, se me había olvidado.
BRÍGIDA	¡Pues me hace gracia el olvido!
DOÑA INÉS	¡Como la madre abadesa
	se entró aquí inmediatamente!
BRÍGIDA	¡Vieja más impertinente!
DOÑA INÉS	¿Pues tanto el libro interesa?
BRÍGIDA	¡Vaya si interesa! Mucho.
	¡Pues quedó con poco afán
	el infeliz!
DOÑA INÉS	¿Quién?
BRÍGIDA	Don Juan.
DOÑA INÉS	¡Válgame el cielo! ¡Qué escucho!
	¿Es don Juan quien me le envía?
BRÍGIDA	Por supuesto.

Doña Inés	¡Oh!, yo no debo
	tomarle.
Brígida	¡Pobre mancebo!
	Desairarle así, sería
	matarle.
Doña Inés	¿Qué estás diciendo?
Brígida	Si ese horario no tomáis,
	tal pesadumbre le dais,
	que va a enfermar, lo estoy viendo.
Doña Inés	¡Ah!, no, no; de esa manera
	le tomaré.
Brígida	Bien haréis.
Doña Inés	¡Y qué bonito es!
Brígida	Ya veis;
	quien quiere agradar se esmera.
Doña Inés	Con sus manecillas de oro.
	¡Y cuidado que está prieto!
	A ver, a ver si completo
	contiene el rezo del coro.

(Le abre, y cae una carta de entre sus hojas.)

	Mas ¿qué cayó?
Brígida	Un papelito.
Doña Inés	¡Una carta!
Brígida	Claro está;
	en esa carta os vendrá
	ofreciendo el regalito.
Doña Inés	¡Qué! ¿Será suyo el papel?
Brígida	¡Vaya que sois inocente!
	Pues que os feria, es consiguiente
	que la carta será de él.
Doña Inés	¡Ay Jesús!
Brígida	¿Qué es lo que os da?
Doña Inés	Nada, Brígida, no es nada.
Brígida	No, no; ¡si estáis inmutada!

(*Aparte.* Ya presa en la red está.)
¿Se os pasa?

DOÑA INÉS   Sí.

BRÍGIDA   Eso habrá sido
cualquier mareíllo vano.

DOÑA INÉS   ¡Ay!, se me abrasa la mano
con que el papel he cogido.

BRÍGIDA   Doña Inés, ¡válgame Dios!,
jamás os he visto así:
estáis trémula.

DOÑA INÉS   ¡Ay de mí!

BRÍGIDA   ¿Qué es lo que pasa por vos?

DOÑA INÉS   No sé... El campo de mi mente
siento que cruzan perdidas
mil sombras desconocidas
que me inquietan vagamente,
y ha tiempo al alma me dan
con su agitación tortura.

BRÍGIDA   ¿Tiene alguna por ventura
el semblante de don Juan?

DOÑA INÉS   No sé; desde que le vi,
Brígida mía, y su nombre
me dijiste, tengo a ese hombre
siempre delante de mí.
Por doquiera me distraigo
con su agradable recuerdo,
y si un instante le pierdo
en su recuerdo recaigo.
No sé qué fascinación
en mis sentidos ejerce,
que siempre hacia él me tuerce
la mente y el corazón;
y aquí y en el oratorio,
y en todas partes advierto
que el pensamiento divierto

                          con la imagen de Tenorio.
BRÍGIDA   ¡Válgame Dios! Doña Inés,
                          según lo vais explicando,
                          tentaciones me van dando
                          de creer que eso amor es.
DOÑA INÉS   ¿Amor has dicho?
BRÍGIDA   Sí, amor.
DOÑA INÉS   No, de ninguna manera.
BRÍGIDA   Pues por amor lo entendiera
                          el menos entendedor;
                          mas vamos la carta a ver:
                          ¿en qué os paráis?, ¿un suspiro?
DOÑA INÉS   ¡Ay!, que cuanto más la miro,
                          menos me atrevo a leer.
                          (Lee.) «Doña Inés del alma mía»...
                          ¡Virgen santa, qué principio!
BRÍGIDA   Vendrá en verso, y será un ripio
                          que traerá la poesía.
                          Vamos, seguid adelante.
DOÑA INÉS *(Lee.)*   «... luz de donde el sol la toma,
                          hermosísima paloma
                          privada de libertad,
                          si os dignáis por estas letras
                          pasar vuestros lindos ojos,
                          no los tornéis con enojos
                          sin concluir, acabad.»
BRÍGIDA   ¡Qué humildad! ¡Y qué finura!
                          ¿Dónde hay mayor rendimiento?
DOÑA INÉS   Brígida, no sé qué siento.
BRÍGIDA   Seguid, seguid la lectura.
DOÑA INÉS *(Lee.)*   «Nuestros padres de consuno
                          nuestras bodas acordaron,
                          porque los cielos juntaron
                          los destinos de los dos.
                          Y halagado desde entonces

             con tan risueña esperanza,
             mi alma, doña Inés, no alcanza
             otro porvenir que vos.
             De amor con ella en mi pecho
             brotó una chispa ligera,
             que han convertido en hoguera
             tiempo y afición tenaz.
             Y esta llama que en mí mismo
             se alimenta inextinguible,
             cada día más terrible
             va creciendo y más voraz.»

BRÍGIDA   Es claro; esperar le hicieron
             en vuestro amor algún día,
             y hondas raíces tenía
             cuando a arrancársele fueron.
             Seguid.

DOÑA INÉS *(Lee.)*   «En vano a apagarla
             concurren tiempo y ausencia,
             que, doblando su violencia,
             no hoguera ya, volcán es.
             Y yo, que en medio del cráter
             desamparado batallo,
             suspendido en él me hallo
             entre mi tumba y mi Inés.»

BRÍGIDA   ¿Lo veis, Inés? Si ese horario
             le despreciáis, al instante
             le preparan el sudario.

DOÑA INÉS   Yo desfallezco.

BRÍGIDA   Adelante.

DOÑA INÉS *(Lee.)* «Inés, alma de mi alma,
             perpetuo imán de mi vida,
             perla sin concha escondida
             entre las algas del mar;
             garza que nunca del nido
             tender osastes el vuelo,

el diáfano azul del cielo
para aprender a cruzar;
si es que a través de esos muros
el mundo apenada miras
y por el mundo suspiras
de libertad con afán,
acuérdate que al pie mismo
de esos muros que te guardan
para salvarte te aguardan
los brazos de tu don Juan.»

(Representa.)

¿Qué es lo que me pasa, ¡cielo!,
que me estoy viendo morir?

BRÍGIDA   *(Aparte.* Ya tragó todo el anzuelo.)
Vamos, que está al concluir.

DOÑA INÉS *(Lee.)* «Acuérdate de quien llora
al pie de tu celosía,
y allí le sorprende el día
y le halla la noche allí;
acuérdate de quien vive
sólo por ti, ¡vida mía!,
y que a tus pies volaría
si le llamaras a ti.»

BRÍGIDA   ¿Lo veis? Vendría.

DOÑA INÉS   ¡Vendría!

BRÍGIDA   A postrarse a vuestros pies.

DOÑA INÉS   ¿Puede?

BRÍGIDA   ¡Oh, sí!

DOÑA INÉS   ¡Virgen María!

BRÍGIDA   Pero acabad, doña Inés.

DOÑA INÉS *(Lee.)* «Adiós, ¡oh luz de mis ojos!,
adiós, Inés de mi alma;
medita, por Dios, en calma
las palabras que aquí van:

y si odias esa clausura,
que ser tu sepulcro debe,
manda, que a todo se atreve
por tu hermosura don Juan.»

(*Representa* DOÑA INÉS.)

¡Ay! ¿Qué filtro envenenado
me dan en este papel,
que el corazón desgarrado
me estoy sintiendo con él?
¿Qué sentimientos dormidos
son los que revela en mí?
¿Qué impulsos jamás sentidos,
qué luz que hasta hoy nunca vi?
¿Qué es lo que engendra en mi alma
tan nuevo y profundo afán?
¿Quién roba la dulce calma
de mi corazón?

BRÍGIDA   Don Juan.
DOÑA INÉS   ¡Don Juan dices!... ¿Conque ese hombre
me ha de seguir por doquier?
¿Sólo he de escuchar su nombre?
¿Sólo su sombra he de ver?
¡Ah! Bien dice: juntó el cielo
los destinos de los dos,
y en mi alma engendró este anhelo
fatal.

BRÍGIDA   ¡Silencio, por Dios!

(*Se oyen dar las ánimas.*)

DOÑA INÉS   ¿Qué?
BRÍGIDA   ¡Silencio!
DOÑA INÉS   Me estremeces.
BRÍGIDA   ¿Oís, doña Inés, tocar?

DOÑA INÉS	Sí, lo mismo que otras veces
	las ánimas oigo dar.
BRÍGIDA	Pues no habléis de él.
DOÑA INÉS	¡Cielo santo!
	¿De quién?
BRÍGIDA	¿De quién ha de ser?
	De ese don Juan que amáis tanto,
	porque puede aparecer.
DOÑA INÉS	¡Me amedrentas! ¿Puede ese hombre
	llegar hasta aquí?
BRÍGIDA	Quizá.
	Porque el eco de su nombre
	tal vez llega adonde está.
DOÑA INÉS	¡Cielos! ¿Y podrá?...
BRÍGIDA	¿Quién sabe?
DOÑA INÉS	¿Es un espíritu, pues?
BRÍGIDA	No, mas si tiene una llave...
DOÑA INÉS	¡Dios!
BRÍGIDA	Silencio, doña Inés,
	¿no oís pasos?
DOÑA INÉS	¡Ay! Ahora
	nada oigo.
BRÍGIDA	Las nueve dan.
	Suben..., se acercan... Señora...
	Ya está aquí.
DOÑA INÉS	¿Quién?
BRÍGIDA	Él.
DOÑA INÉS	¡Don Juan!

ESCENA IV

Doña Inés, Don Juan y Brígida

Doña Inés	¿Qué es esto? Sueño..., deliro.
Don Juan	¡Inés de mi corazón!
Doña Inés	¿Es realidad lo que miro,
	o es una fascinación?...
	Tenedme..., apenas respiro...
	Sombra..., huye por compasión.
	¡Ay de mí!...

(Desmáyase Doña Inés *y* Don Juan *la sostiene. La carta de don Juan queda en el suelo abandonada por* Doña Inés *al desmayarse.)*

Brígida	La ha fascinado
	vuestra repentina entrada,
	y el pavor la ha trastornado.
Don Juan	Mejor, así nos ha ahorrado
	la mitad de la jornada.
	¡Ea! No desperdiciemos
	el tiempo aquí en contemplarla
	si perdernos no queremos.
	En los brazos a tomarla
	voy, y cuanto antes, ganemos
	ese claustro solitario.
Brígida	¡Oh! ¿Vais a sacarla así?
Don Juan	Necia, ¿piensas que rompí
	la clausura, temerario,
	para dejármela aquí?
	Mi gente abajo me espera:
	sígueme.
Brígida	¡Sin alma estoy!
	¡Ay! Este hombre es una fiera,

nada le ataja ni altera...
Sí, sí; a su sombra me voy.

ESCENA V

La ABADESA

ABADESA   Jurara que había oído
por estos claustros andar;
hoy a doña Inés velar
algo más la he permitido,
y me temo... Mas no están
aquí. ¿Qué pudo ocurrir
a las dos para salir
de la celda? ¿Dónde irán?
¡Hola! Yo las ataré
corto para que no vuelvan
a enredar y me revuelvan
a las novicias..., sí a fe.
Mas siento por allá fuera
pasos. ¿Quién es?

ESCENA VI

La ABADESA *y la* TORNERA

TORNERA   Yo, señora.
ABADESA   ¡Vos en el claustro a esta hora!
¿Qué es esto, hermana tornera?
TORNERA   Madre abadesa, os buscaba.
ABADESA   ¿Qué hay? Decid.

TORNERA   Un noble anciano
quiere hablaros.
ABADESA   Es en vano.
TORNERA   Dice que es de Calatrava
caballero; que sus fueros
le autorizan a este paso,
y que la urgencia del caso
le obliga al instante a veros.
ABADESA   ¿Dijo su nombre?
TORNERA   El señor
don Gonzalo de Ulloa.
ABADESA   ¿Qué
puede querer?... Ábrale,
hermana; es comendador
de la Orden, y derecho
tiene en el claustro de entrada.

ESCENA VII

La ABADESA. DON GONZALO *después*

ABADESA   ¿A una hora tan avanzada
venir así?... No sospecho
qué pueda ser..., mas me place,
pues no hallando a su hija aquí
la reprenderá, y así
mirará otra vez lo que hace.

ESCENA VIII

La ABADESA, DON GONZALO, *la* TORNERA *a la puerta*

DON GONZALO	Perdonad, madre abadesa,
	que en hora tal os moleste;
	mas para mí asunto es éste
	que honra y vida me interesa.
ABADESA	¡Jesús!
DON GONZALO	Oíd.
ABADESA	Hablad, pues.
DON GONZALO	Yo guardé hasta hoy un tesoro
	de más quilates que el oro,
	y ese tesoro es mi Inés.
ABADESA	A propósito...
DON GONZALO	Escuchad.

Se me acaba de decir
que han visto a su dueña ir
ha poco por la ciudad
hablando con el criado
de un don Juan, de tal renombre,
que no hay en la tierra otro hombre
tan audaz y tan malvado.
En tiempo atrás se pensó
con él a mi hija casar,
y hoy que se la fui a negar
robármela me juró;
que por el torpe doncel
ganada la dueña está
no puedo dudarlo ya;
debo, pues, guardarme de él.
Y un día, una hora quizá
de imprevisión le bastara
para que mi honor manchara
ese hijo de Satanás.

	He aquí mi inquietud cuál es;
	por la dueña en conclusión
	vengo; vos la profesión
	abreviad de doña Doña Inés.
ABADESA	Sois padre, y es vuestro afán
	muy justo, Comendador;
	mas ved que ofende a mi honor.
DON GONZALO	No sabéis quién es don Juan.
ABADESA	Aunque le pintáis tan malo,
	yo os puedo decir de mí
	que, mientras Inés esté aquí,
	segura está, don Gonzalo.
DON GONZALO	Lo creo; mas las razones
	abreviemos: entregadme
	a esa dueña y perdonadme
	mis mundanas opiniones.
	Si vos de vuestra virtud
	me respondéis, yo me fundo
	en que conozco del mundo
	la insensata juventud.
ABADESA	Se hará como lo exigís.
	Hermana tornera, id, pues,
	a buscar a doña Inés
	y a su dueña.

(Vase la TORNERA.)

DON GONZALO	¿Qué decís,
	señora? O traición me ha hecho
	mi memoria, o yo sé bien
	que ésta es hora de que estén
	ambas a dos en su lecho.
ABADESA	Ha un punto sentí a las dos
	salir de aquí, no sé a qué.
DON GONZALO	¡Ay! ¡Por qué tiemblo no sé!
	¿Mas qué veo, santo Dios?

Un papel... Me lo decía
a voces mi mismo afán.
(Leyendo.) «Doña Inés del alma mía»...
¡Y la firma de don Juan!
Ved..., ved esa prueba escrita.
Leed ahí... ¡Oh!, mientras que vos
por ella rogáis a Dios,
viene el diablo y os la quita.

ESCENA IX

La ABADESA, DON GONZALO *y la* TORNERA

TORNERA	Señora...
ABADESA	¿Qué es?
TORNERA	Vengo muerta.
DON GONZALO	Concluid.
TORNERA	No acierto a hablar...

He visto a un hombre saltar
por las tapias de la huerta.

DON GONZALO   ¿Veis? Corramos, ¡ay de mí!
ABADESA   ¿Dónde vais, Comendador?
DON GONZALO   ¡Imbécil! Tras de mi honor,
que os roban a vos de aquí.

FIN DEL ACTO TERCERO

Acto cuarto
El diablo a las puertas del Cielo

Personas

DON JUAN
DOÑA INÉS
DON GONZALO
DON LUIS
CIUTTI
BRÍGIDA
ALGUACILES 1.º Y 2.º

Quinta de don Juan Tenorio, cerca de Sevilla y sobre el Guadal-quivir. Balcón en el fondo. Dos puertas a cada lado.

ESCENA PRIMERA

Brígida y Ciutti

BRÍGIDA
¡Qué noche, válgame Dios!
A poderlo calcular,
no me meto yo a servir
a tan fogoso galán.
¡Ay, Ciutti! Molida estoy;
no me puedo menear.

CIUTTI
Pues ¿qué os duele?

BRÍGIDA
Todo el cuerpo
y toda el alma además.

CIUTTI
¡Ya! No estáis acostumbrada
al caballo, es natural.

BRÍGIDA
Mil veces pensé caer;
¡Uf! ¡Qué mareo! ¡Qué afán!
Veía yo unos tras otros
ante mis ojos pasar
los árboles como en alas
llevados de un huracán,
tan apriesa y produciéndome

112

ilusión tan infernal,
que perdiera los sentidos
si tardamos en parar.

CIUTTI   Pues de estas cosas veréis,
si en esta casa os quedáis,
lo menos seis por semana.

BRÍGIDA   ¡Jesús!

CIUTTI   ¿Y esa niña está
reposando todavía?

BRÍGIDA   ¿Y a qué se ha despertar?

CIUTTI   Sí, es mejor que abra los ojos
en los brazos de don Juan.

BRÍGIDA   Preciso es que tu amo tenga
algún diablo familiar.

CIUTTI   Yo creo que sea él mismo
un diablo en carne mortal,
porque a lo que él, solamente
se arrojara Satanás.

BRÍGIDA   ¡Oh! ¡El lance ha sido extremado!

CIUTTI   Pero al fin logrado está.

BRÍGIDA   ¡Salir así de un convento
en medio de una ciudad
como Sevilla!

CIUTTI   Es empresa
tan sólo para hombre tal.
Mas, ¡qué diablos!, si a su lado
la fortuna siempre va,
y encadenado a sus pies
duerme sumiso el azar.

BRÍGIDA   Sí, decís bien.

CIUTTI   No he visto hombre
de corazón más audaz;
ni halla riesgo que le espante,
ni encuentra dificultad
que al empeñarse en vencer

le haga un punto vacilar.
A todo osado se arroja,
de todo se ve capaz,
ni mira dónde se mete,
ni lo pregunta jamás.
Allí hay un lance, le dicen;
y él dice: «Allá va don Juan».
¡Mas ya tarda, vive Dios!

BRÍGIDA   Las doce en la catedral
han dado ha tiempo.

CIUTTI   Y de vuelta
debía a las doce estar.

BRÍGIDA   ¿Pero por qué no se vino
con nosotros?

CIUTTI   Tiene allá
en la ciudad todavía
cuatro cosas que arreglar.

BRÍGIDA   ¿Para el viaje?

CIUTTI   Por supuesto;
aunque muy fácil será
que esta noche a los infiernos
le hagan a él mismo viajar.

BRÍGIDA   ¡Jesús, qué ideas!

CIUTTI   Pues digo.
¿Son obras de caridad
en las que nos empleamos
para mejor esperar?
Aunque seguros estamos
como vuelva por acá.

BRÍGIDA   ¿De veras, Ciutti?

CIUTTI   Venid
a este balcón y mirad.
¿Qué veis?

BRÍGIDA   Veo un bergantín
que anclado en el río está.

CIUTTI	Pues su patrón sólo aguarda
	las órdenes de don Juan,
	y salvos en todo caso
	a Italia nos llevará.
BRÍGIDA	¿Cierto?
CIUTTI	Y nada receléis
	por nuestra seguridad,
	que es el barco más velero
	que boga sobre la mar.
BRÍGIDA	¡Chist! Ya siento a doña Inés.
CIUTTI	Pues yo me voy, que don Juan
	encargó que sola vos
	debíais con ella hablar.
BRÍGIDA	Y encargó bien, que yo entiendo
	de esto.
CIUTTI	Adiós pues.
BRÍGIDA	Vete en paz.

ESCENA II

DOÑA INÉS y BRÍGIDA

DOÑA INÉS	Dios mío, ¡cuánto he soñado!
	Loca estoy; ¿qué hora será?
	Pero ¿qué es esto, ay de mí?
	No recuerdo que jamás
	haya visto este aposento.
	¿Quién me trajo aquí?
BRÍGIDA	Don Juan.
DOÑA INÉS	Siempre don Juan..., ¿mas conmigo
	aquí tú también estás,
	Brígida?
BRÍGIDA	Sí, doña Inés.

DOÑA INÉS	Pero dime, en caridad,
	¿dónde estamos? ¿Este cuarto
	es del convento?
BRÍGIDA	No tal;
	aquello era un cuchitril
	en donde no había más
	que miseria.
DOÑA INÉS	Pero en fin,
	¿en dónde estamos?
BRÍGIDA	Mirad,
	mirad por este balcón,
	y alcanzaréis lo que va
	desde un convento de monjas
	a una quinta de don Juan.
DOÑA INÉS	¿Es de don Juan esta quinta?
BRÍGIDA	Y creo que vuestra ya.
DOÑA INÉS	Pero no comprendo, Brígida,
	lo que hablas.
BRÍGIDA	Escuchad.
	Estabais en el convento
	leyendo con mucho afán
	una carta de don Juan,
	cuando estalló en un momento
	un incendio formidable.
DOÑA INÉS	¡Jesús!
BRÍGIDA	Espantoso, inmenso;
	el humo era ya tan denso
	que el aire se hizo palpable.
DOÑA INÉS	Pues no recuerdo...
BRÍGIDA	Las dos,
	con la carta entretenidas,
	olvidamos nuestras vidas,
	yo oyendo y leyendo vos.
	Y estaba en verdad tan tierna,
	que entrambas a su lectura

achacamos la tortura
que sentíamos interna.
Apenas ya respirar
podíamos, y las llamas
prendían ya en nuestras camas;
nos íbamos a asfixiar,
cuando don Juan, que os adora,
y que rondaba el convento,
al ver crecer con el viento
la llama devastadora,
con inaudito valor,
viendo que ibais a abrasaros,
se metió para salvaros
por donde pudo mejor.
Vos, al verle así asaltar
la celda tan de improviso,
os desmayasteis... Preciso,
la cosa era de esperar.
Y él, cuando os vio caer así,
en sus brazos os tomó
y echó a huir; yo le seguí,
y del fuego nos sacó.
¿Dónde íbamos a esta hora?
Vos seguíais desmayada,
yo estaba ya casi ahogada.
Dijo, pues: «Hasta la aurora
en mi casa las tendré».
Y henos, doña Inés, aquí.

DOÑA INÉS   ¿Conque ésta es su casa?
BRÍGIDA   Sí.
DOÑA INÉS   Pues nada recuerdo a fe.
              Pero..., ¡en su casa.!.. ¡Oh!, al punto
              salgamos de ella... Yo tengo
              la de mi padre.

BRÍGIDA   Convengo

con vos; pero es el asunto...

DOÑA INÉS ¿Qué?

BRÍGIDA   Que no podemos ir.

DOÑA INÉS Oír tal me maravilla.

BRÍGIDA Nos aparta de Sevilla...

DOÑA INÉS ¿Quién?

BRÍGIDA   Vedlo, el Guadalquivir.

DOÑA INÉS ¿No estamos en la ciudad?

BRÍGIDA A una legua nos hallamos
de sus murallas.

DOÑA INÉS   ¡Oh! ¡Estamos
perdidas!

BRÍGIDA   ¡No sé en verdad
por qué!

DOÑA INÉS   Me estás confundiendo,
Brígida..., y no sé qué redes
son las que entre estas paredes
temo que me estás tendiendo.
Nunca el claustro abandoné
ni sé del mundo exterior
los usos, mas tengo honor;
noble soy, Brígida, y sé
que la casa de don Juan
no es buen sitio para mí:
me lo está diciendo aquí
no sé qué escondido afán.
Ven, huyamos.

BRÍGIDA   Doña Inés,
la existencia os ha salvado.

DOÑA INÉS Sí, pero me ha envenenado
el corazón.

BRÍGIDA   ¿Le amáis, pues?

DOÑA INÉS No sé... Mas, por compasión,
huyamos pronto de ese hombre,
tras de cuyo solo nombre

se me escapa el corazón.
¡Ah! Tú me diste un papel
de manos de ese hombre escrito,
y algún encanto maldito
me diste encerrado en él.
Una sola vez le vi,
por entre unas celosías,
y que estaba, me decías,
en aquel sitio por mí.
Tú, Brígida, a todas horas
me venías de él a hablar,
haciéndome recordar
sus gracias fascinadoras.
Tú me dijiste que estaba
para mío destinado
por mi padre..., y me has jurado
en su nombre que me amaba.
¿Que le amo dices?... Pues bien,
si esto es amar, sí, le amo;
pero yo sé que me infamo
con esa pasión también.
Y si el débil corazón
se me va tras de don Juan,
tirándome de él están
mi honor y mi obligación.
Vamos, pues, vamos de aquí
primero que ese hombre venga;
pues fuerza acaso no tenga
si le veo junto a mí.
Vamos, Brígida.

BRÍGIDA   Esperad.
                           ¿No oís?
DOÑA INÉS   ¿Qué?
BRÍGIDA   Ruido de remos.
DOÑA INÉS   Sí, dices bien; volveremos

	en un bote a la ciudad.
BRÍGIDA	Mirad, mirad, doña Inés.
DOÑA INÉS	Acaba..., por Dios, partamos.
BRÍGIDA	Ya imposible que salgamos.
DOÑA INÉS	¿Por qué razón?
BRÍGIDA	Porque él es

quien en ese barquichuelo
se adelanta por el río.

| DOÑA INÉS | ¡Ay! ¡Dadme fuerzas, Dios mío! |
| BRÍGIDA | Ya llegó, ya está en el suelo. |

Sus gentes nos volverán
a casa; mas antes de irnos
es preciso despedirnos
a lo menos de don Juan.

| DOÑA INÉS | Sea, y vamos al instante. |

No quiero volverle a ver.

| BRÍGIDA | (*Aparte.* Los ojos te hará volver |

el encontrarle delante.)
Vamos.

DOÑA INÉS	Vamos.
CIUTTI (*Dentro.*)	Aquí están.
DON JUAN (*Ídem.*)	Alumbra.
BRÍGIDA	¡Nos busca!
DOÑA INÉS	Él es.

ESCENA III

Dichas y DON JUAN

DON JUAN	¿Adónde vais, doña Inés?
DOÑA INÉS	Dejadme salir, don Juan.
DON JUAN	¿Que os deje salir?
BRÍGIDA	Señor,

	sabiendo ya el accidente
	del fuego, estará impaciente
	por su hija el Comendador.
DON JUAN	¡El fuego! ¡Ah! No os dé cuidado
	por don Gonzalo, que ya
	dormir tranquilo le hará
	el mensaje que le he enviado.
DOÑA INÉS	¿Le habéis dicho...?
DON JUAN	Que os hallabais

bajo mi amparo segura,
y el aura del campo pura
libre por fin respirabais.

(Vase BRÍGIDA.*)*

¡Cálmate, pues, vida mía!
Reposa aquí y un momento
olvida de tu convento
la triste cárcel sombría.
¡Ah! ¿No es cierto, ángel de amor,
que en esta apartada orilla
más pura la luna brilla
y se respira mejor?
Esta aura que vaga llena
de los sencillos olores
de las campesinas flores
que brota esa orilla amena;
esa agua limpia y serena
que atraviesa sin temor
la barca del pescador
que espera cantando el día,
¿no es cierto, paloma mía,
que están respirando amor?
Esa armonía que el viento
recoge entre esos millares
de floridos olivares,

que agita con manso aliento;
ese dulcísimo acento
con que trina el ruiseñor,
de sus copas morador,
llamando al cercano día,
¿no es verdad, gacela mía,
que están respirando amor?
Y estas palabras que están
filtrando insensiblemente
tu corazón ya pendiente
de los labios de don Juan,
y cuyas ideas van
inflamando en su interior
un fuego germinador
no encendido todavía,
¿no es verdad, estrella mía,
que están respirando amor?
Y esas dos líquidas perlas
que se desprenden tranquilas
de tus radiantes pupilas
convidándome a beberlas,
evaporarse, a no verlas,
de sí mismas al calor,
y ese encendido color
que en tu semblante no había,
¿no es verdad, hermosa mía,
que están respirando amor?
¡Oh, sí, bellísima Inés,
espejo y luz de mis ojos!,
escucharme sin enojos
como lo haces, amor es;
mira aquí a tus plantas, pues,
todo el altivo rigor
de este corazón traidor
que rendirse no creía,

adorando, vida mía,
la esclavitud de tu amor.

DOÑA INÉS   Callad, por Dios, ¡oh don Juan!,
que no podré resistir
mucho tiempo sin morir
tan nunca sentido afán.
¡Ah! Callad, por compasión,
que oyéndoos me parece
que mi cerebro enloquece
y se arde mi corazón.
¡Ah! Me habéis dado a beber
un filtro infernal sin duda,
que a rendiros os ayuda
la virtud de la mujer.
Tal vez poseéis, don Juan,
un misterioso amuleto
que a vos me atrae en secreto
como irresistible imán.
Tal vez Satán puso en vos
su vista fascinadora,
su palabra seductora,
y el amor que negó a Dios.
¿Y qué he de hacer, ¡ay de mí!,
sino caer en vuestros brazos,
si el corazón en pedazos
me vais robando de aquí?
No, don Juan; en poder mío
resistirse no está ya:
yo voy a ti como va
sorbido al mar ese río.
Tu presencia me enajena,
tus palabras me alucinan,
y tus ojos me fascinan,
y tu aliento me envenena.
¡Don Juan! ¡Don Juan! Yo lo imploro

de tu hidalga compasión:
o arráncame el corazón,
o ámame, porque te adoro.

DON JUAN ¡Alma mía! Esa palabra
cambia de modo mi ser,
que alcanzo que puede hacer
hasta que el Edén se me abra.
No es, doña Inés, Satanás
quien pone este amor en mí;
es Dios, que quiere por ti
ganarme para Él quizás.
No, el amor que hoy se atesora
en mi corazón mortal,
no es un amor terrenal
como el que sentí hasta ahora,
no es esa chispa fugaz
que cualquier ráfaga apaga;
es incendio que se traga
cuanto ve, inmenso, voraz.
Desecha, pues, tu inquietud,
bellísima doña Inés,
porque me siento a tus pies
capaz aun de la virtud.
Sí, iré mi orgullo a postrar
ante el buen Comendador,
y, o habrá de darme tu amor,
o me tendrá que matar.

DOÑA INÉS ¡Don Juan de mi corazón!
DON JUAN ¡Silencio! ¿Habéis escuchado?
DOÑA INÉS ¿Qué?
DON JUAN   Sí, una barca ha atracado
debajo de ese balcón.
Un hombre embozado de ella
salta... Brígida, al momento

(Entra BRÍGIDA.)

pasad a ese otro aposento,
y perdonad, Inés bella,
si solo me importa estar.

DOÑA INÉS   ¿Tardarás?
DON JUAN   Poco ha de ser.
DOÑA INÉS   A mi padre hemos de ver.
DON JUAN   Sí, en cuanto empiece a clarear.
        Adiós.

ESCENA IV

DON JUAN *y* CIUTTI

CIUTTI   ¿Señor?
DON JUAN   ¿Qué sucede,
    Ciutti?
CIUTTI   Ahí está un embozado
    en veros muy empeñado.
DON JUAN   ¿Quién es?
CIUTTI   Dice que no puede
    descubrirse más que a vos,
    y que es cosa de tal priesa
    que en ella se os interesa
    la vida a entrambos a dos.
DON JUAN   ¿Y en él no has reconocido
    marca ni señal alguna
    que nos oriente?
CIUTTI   Ninguna;
    mas a veros decidido
    viene.
DON JUAN   ¿Trae gente?

CIUTTI   No más
                    que los remeros del bote.
DON JUAN   Que entre.

                        ESCENA V

    DON JUAN. *Luego* CIUTTI *y* DON LUIS, *embozado*

DON JUAN   ¡Jugamos a escote
                    la vida!... Mas ¿si es quizás
                    un traidor que hasta mi quinta
                    me viene siguiendo el paso?
                    Hálleme, pues, por si acaso,
                    con las armas en la cinta.

                    *(Se ciñe la espada y suspende al cinto un par
                    de pistolas que habrá colocado sobre la mesa
                    a su salida en la escena tercera. Al momento
                    sale* CIUTTI *conduciendo a* DON LUIS, *que,
                    embozado hasta los ojos, espera a que se
                    queden solos.* DON JUAN *hace a* CIUTTI *una
                    seña para que se retire. Lo hace.)*

                        ESCENA VI

                    DON JUAN *y* DON LUIS

DON JUAN   *(Aparte.* Buen talante.) Bien venido,
                    caballero.
DON LUIS   Bien hallado,
                    señor mío.
DON JUAN   Sin cuidado
                    hablad.

DON LUIS	Jamás lo he tenido.
DON JUAN	Decid, pues: ¿a qué venís
	a esta hora y con tal afán?
DON LUIS	Vengo a mataros, don Juan.
DON JUAN	Según eso, ¿sois don Luis?
DON LUIS	No os engañó el corazón,
	y el tiempo no malgastemos,
	don Juan; los dos no cabemos
	ya en la tierra.
DON JUAN	En conclusión,
	señor Mejía: ¿es decir
	que, porque os gané la apuesta,
	queréis que acabe la fiesta
	con salirnos a batir?
DON LUIS	Estáis puesto en la razón;
	la vida apostado habemos,
	y es fuerza que nos paguemos.
DON JUAN	Soy de la misma opinión.
	Mas ved que os debo advertir
	que sois vos quien la ha perdido.
DON LUIS	Pues por eso os la he traído;
	mas no creo que morir
	deba nunca un caballero
	que lleva en el cinto espada
	como una res destinada
	por su dueño al matadero.
DON JUAN	Ni yo creo que resquicio
	habréis jamás encontrado
	por donde me hayáis tomado
	por un cortador de oficio.
DON LUIS	De ningún modo; y ya veis
	que, pues os vengo a buscar,
	mucho en vos debo fiar.
DON JUAN	No más de lo que podéis.
	Y por mostraros mejor

mi generosa hidalguía,
decid si aún puedo, Mejía,
satisfacer vuestro honor.
Leal la apuesta os gané;
mas si tanto os ha escocido,
mirad si halláis conocido
remedio, y le aplicaré.

DON LUIS No hay más que el que os he propuesto,
don Juan. Me habéis maniatado,
y habéis la casa asaltado
usurpándome mi puesto;
y pues el mío tomasteis
para triunfar de doña Ana,
no sois vos, don Juan, quien gana,
porque por otro jugasteis.

DON JUAN Ardides del juego son.

DON LUIS Pues no os los quiero pasar,
y por ellos a jugar
vamos ahora el corazón.

DON JUAN ¿Le arriesgáis, pues, en revancha
de doña Ana de Pantoja?

DON LUIS Sí, y lo que tardo me enoja
en lavar tan fea mancha.
Don Juan, yo la amaba, sí;
mas con lo que habéis osado
imposible la hais dejado
para vos y para mí.

DON JUAN ¿Por qué la apostasteis, pues?

DON LUIS Porque no pude pensar
que la pudierais lograr.
Y..., vamos, por San Andrés,
a reñir, que me impaciento.

DON JUAN Bajemos a la ribera.

DON LUIS Aquí mismo.

DON JUAN   Necio fuera:

¿no veis que en este aposento
prendieran al vencedor?
Vos traéis una barquilla.

DON LUIS   Sí.

DON JUAN   Pues que lleve a Sevilla
al que quede.

DON LUIS   Eso es mejor;
salgamos pues.

DON JUAN   Esperad.

DON LUIS   ¿Qué sucede?

DON JUAN   Ruido siento.

DON LUIS   Pues no perdamos momento.

ESCENA VII

DON JUAN, DON LUIS y CIUTTI

CIUTTI   Señor, la vida salvad.

DON JUAN   ¿Qué hay, pues?

CIUTTI   El Comendador,
que llega con gente armada.

DON JUAN   Déjale franca la entrada,
pero a él solo.

CIUTTI   Mas señor...

DON JUAN   Obedéceme. *(Vase* CIUTTI.*)*

ESCENA VIII

DON JUAN y DON LUIS

DON JUAN   Don Luis,
pues de mí os habéis fiado
cuanto dejáis demostrado
cuando a mi casa venís,
no dudaré en suplicaros,
pues mi valor conocéis,
que un instante me aguardéis.

DON LUIS   Yo nunca puse reparos
en valor que es tan notorio,
mas no me fío de vos.

DON JUAN   Ved que las partes son dos
de la apuesta con Tenorio,
y que ganadas están.

DON LUIS   ¿Lograsteis a un tiempo...?

DON JUAN   Sí;
la del convento está aquí;
y pues viene de don Juan
a reclamarla quien puede,
cuando me podéis matar
no debo asunto dejar
tras mí que pendiente quede.

DON LUIS   Pero mirad que meter
quien puede el lance impedir
entre los dos puede ser...

DON JUAN   ¿Qué?

DON LUIS   Excusaros de reñir.

DON JUAN   ¡Miserable!... De don Juan
podéis dudar sólo vos;
mas aquí entrad, vive Dios,
y no tengáis tanto afán

	por vengaros, que este asunto
	arreglado con ese hombre,
	don Luis, yo os juro a mi nombre
	que nos batimos al punto.

DON LUIS   Pero...

DON JUAN   ¡Con una legión
de diablos! Entrad aquí,
que harta nobleza es en mí
aun daros satisfacción.
Desde ahí ved y escuchad;
franca tenéis esa puerta;
Si veis mi conducta incierta,
como os acomode obrad.

DON LUIS   Me avengo, si muy reacio
no andáis.

DON JUAN   Calculadlo vos
a placer; mas, vive Dios,
que para todo hay espacio.

(Entra DON LUIS *en el cuarto que* DON
JUAN *le señala.)*

Ya suben. (DON JUAN *escucha.)*

DON GONZALO *(Dentro.)*   ¿Dónde está?

DON JUAN   Él es.

ESCENA IX

DON JUAN y DON GONZALO

DON GONZALO   ¿Adónde está ese traidor?

DON JUAN   Aquí está, Comendador.

DON GONZALO   ¿De rodillas?

DON JUAN   Y a tus pies.

DON GONZALO   Vil eres hasta en tus crímenes.

DON JUAN   Anciano, la lengua ten,
                y escúchame un solo instante.
DON GONZALO   ¿Qué puede en tu lengua haber
                que borre lo que tu mano
                escribió en este papel?
                ¡Ir a sorprender, infame,
                la cándida sencillez
                de quien no pudo el veneno
                de esas letras precaver!
                ¡Derramar en su alma virgen
                traidoramente la hiel
                en que rebosa la tuya,
                seca de virtud y fe!
                ¡Proponerse así enlodar
                de mis timbres la alta prez,
                como si fuera un harapo
                que desecha un mercader!
                ¿Ése es el valor, Tenorio,
                de que blasonas? ¿Ésa es
                la proverbial osadía
                que te da al vulgo a temer?
                ¿Con viejos y con doncellas
                la muestras?... ¿Y para qué?
                ¡Vive Dios!, para venir
                sus plantas así a lamer,
                mostrándote a un tiempo ajeno
                de valor y de honradez.
DON JUAN   ¡Comendador!
DON GONZALO   ¡Miserable!
                Tú has robado a mi hija Inés
                de su convento, y yo vengo
                por tu vida, o por mi bien.
DON JUAN   Jamás delante de un hombre
                mi alta cerviz incliné,
                ni he suplicado jamás

ni a mi padre ni a mi rey.
Y pues conservo a tus plantas
la postura en que me ves,
considera, don Gonzalo,
que razón debo tener.

DON GONZALO   Lo que tienes es pavor
de mi justicia.

DON JUAN   ¡Pardiez!
Óyeme, Comendador,
o tenerme no sabré,
y seré quien siempre he sido,
no queriéndolo ahora ser.

DON GONZALO   ¡Vive Dios!

DON JUAN   Comendador,
yo idolatro a doña Inés,
persuadido de que el cielo
nos la quiso conceder
para enderezar mis pasos
por el sendero del bien.
No amé la hermosura en ella
ni sus gracias adoré,
lo que adoro es la virtud,
don Gonzalo, en doña Inés.
Lo que justicias ni obispos
no pudieron de mí hacer
con cárceles y sermones,
lo pudo su candidez.
Su amor me torna en otro hombre
regenerando mi ser,
y ella puede hacer un ángel
de quien un demonio fue.
Escucha, pues, don Gonzalo,
lo que te puede ofrecer
el audaz don Juan Tenorio
de rodillas a tus pies.

Yo seré esclavo de tu hija,
en tu casa viviré,
tú gobernarás mi hacienda,
diciéndome esto ha de ser.
El tiempo que señalares,
en reclusión estaré;
cuantas pruebas exigieres
de mi audacia o mi altivez,
del modo que me ordenares
con sumisión te daré.
Y cuando estime tu juicio
que la puedo merecer,
yo la daré un buen esposo
y ella me dará el Edén.

DON GONZALO   Basta, don Juan; no sé cómo
me he podido contener
oyendo tan torpes pruebas
de tu infame avilantez.
Don Juan, tú eres un cobarde
cuando en la ocasión te ves,
y no hay bajeza a que no oses
como te saque con bien.

DON JUAN   ¡Don Gonzalo!

DON GONZALO   Y me avergüenzo
de mirarte así a mis pies,
lo que apostabas por fuerza
suplicando por merced.

DON JUAN   Todo así se satisface,
don Gonzalo, de una vez.

DON GONZALO   ¡Nunca! ¡Nunca! ¿Tú su esposo?
Primero la mataré.
¡Ea! Entrégamela al punto,
o, sin poderme valer,
en esa postura vil
el pecho te cruzaré.

DON JUAN	Míralo bien, don Gonzalo,
	que vas a hacerme perder
	con ella hasta la esperanza
	de mi salvación tal vez.
DON GONZALO	¿Y qué tengo yo, don Juan,
	con tu salvación que ver?
DON JUAN	¡Comendador, que me pierdes!
DON GONZALO	¡Mi hija!
DON JUAN	Considera bien
	que por cuantos medios pude
	te quise satisfacer;
	y que con armas al cinto
	tus denuestos toleré
	proponiéndote la paz
	de rodillas a tus pies.

ESCENA X

Dichos. DON LUIS, *soltando una carcajada de burla*

DON LUIS	Muy bien, don Juan.
DON JUAN	¡Vive Dios!
DON GONZALO	¿Quién es ese hombre?
DON LUIS	Un testigo
	de su miedo, y un amigo,
	Comendador, para vos.
DON JUAN	¡Don Luis!
DON LUIS	Ya he visto bastante,
	don Juan, para conocer
	cuál uso puedes hacer
	de tu valor arrogante;
	y quien hiere por detrás

	y se humilla en la ocasión,
	es tan vil como el ladrón
	que roba y huye.

DON JUAN   ¿Esto más?

DON LUIS   Y pues la ira soberana
de Dios junta, como ves,
al padre de doña Inés
y al vengador de doña Ana,
mira el fin que aquí te espera
cuando a igual tiempo te alcanza,
aquí dentro su venganza
y la justicia allá fuera.

DON GONZALO   ¡Oh!, ahora comprendo... ¿Sois vos
el que...?

DON LUIS   Soy don Luis Mejía,
a quien a tiempo os envía
por vuestra venganza Dios.

DON JUAN   ¡Basta, pues, de tal suplicio!
Si con hacienda y honor
ni os muestro ni doy valor
a mi franco sacrificio,
y la leal solicitud
con que ofrezco cuanto puedo
tomáis, ¡vive Dios!, por miedo
y os mofáis de mi virtud,
os acepto el que me dais
plazo breve y perentorio
para mostrarme el Tenorio
de cuyo valor dudáis.

DON LUIS   Sea; y cae a nuestros pies
digno al menos de esa fama
que por tan bravo te aclama.

DON JUAN   Y venza el infierno pues.
Ulloa, pues mi alma así
vuelves a hundir en el vicio,

                cuando Dios me llame a juicio
                tú responderás por mí.

                (Le da un pistoletazo.)

DON GONZALO   ¡Asesino! *(Cae.)*
DON JUAN   Y tú, insensato,
                que me llamas vil ladrón,
                di en prueba de tu razón
                que cara a cara te mato.

                (Riñen, y le da una estocada.)

DON LUIS   ¡Jesús! *(Cae.)*
DON JUAN   Tarde tu fe ciega
                acude al cielo, Mejía,
                y no fue por culpa mía;
                pero la justicia llega
                y a fe que ha de ver quién soy.

CIUTTI *(Dentro.)* Don Juan.
DON JUAN *(Asomando al balcón.)*
                   ¿Quién es?
CIUTTI *(Dentro.)*   Por aquí;
                salvaos.
DON JUAN   ¿Hay paso?
CIUTTI   Sí;
                arrojaos.
DON JUAN   Allá voy.
                Llamé al Cielo y no me oyó,
                y pues sus puertas me cierra,
                de mis pasos en la tierra
                responda el cielo, y no yo.

                (Se arroja por el balcón, y se le oye caer en el
                agua del río, al mismo tiempo que el ruido
                de los remos muestra la rapidez del barco en
                que parte; se oyen golpes en las puertas de la

habitación; poco después entra la justicia,
soldados, etc.)

ESCENA XI

Alguaciles, soldados. *Luego* Doña Inés *y* Brígida

Alguacil 1.º	El tiro ha sonado aquí.
Alguacil 2.º	Aún hay humo.
Alguacil 1.º	¡Santo Dios!
	Aquí hay un cadáver.
Alguacil 2.º	Dos.
Alguacil 1.º	¿Y el matador?
Alguacil 2.º	Por allí.

(Abren el cuarto en que están Doña Inés *y*
Brígida, *y las sacan a la escena;* Doña
Inés *reconoce el cadáver de su padre.)*

Alguacil 2.º	¡Dos mujeres!
Doña Inés	¡Ah! ¡Qué horror!
	¡Padre mío!
Alguacil 1.º	¡Es su hija!
Brígida	Sí.
Doña Inés	¡Ay! ¿Dó estás, don Juan, que aquí
	me olvidas en tal dolor?
Alguacil 1.º	Él le asesinó.
Doña Inés	¡Dios mío!
	¿Me guardabas esto más?
Alguacil 2.º	Por aquí ese Satanás
	se arrojó sin duda al río.
Alguacil 1.º	Miradlos... A bordo están
	del bergantín calabrés.

TODOS   ¡Justicia por doña Inés!
DOÑA INÉS   Pero no contra don Juan.

FIN DEL ACTO CUARTO

Segunda parte

Acto primero
La sombra de doña Inés

Personas

DON JUAN
EL CAPITÁN CENTELLAS
DON RAFAEL DE AVELLANEDA
UN ESCULTOR
LA SOMBRA DE DOÑA INÉS

Panteón de la familia Tenorio. El teatro representa un magnífico cementerio, hermoseado a manera de jardín. En primer término, aislados y de bulto, los sepulcros de don Gonzalo Ulloa, de doña Inés y de don Luis Mejía, sobre los cuales se ven sus estatuas de piedra. El sepulcro de don Gonzalo a la derecha, y su estatua de rodillas; el de don Luis a la izquierda, y su estatua también de rodillas; el de doña Inés en el centro, y su estatua de pie. En segundo término otros dos sepulcros en la forma que convenga, y en tercer término y en puesto elevado, el sepulcro y estatua del fundador don Diego Tenorio, en cuya figura remata la perspectiva de los sepulcros. Una pared llena de nichos y lápidas circuye el cuadro hasta el horizonte. Dos llorones a cada lado de la tumba de doña Inés dispuestos a servir de la manera que a su tiempo exige el juego escénico. Cipreses y flores de todas clases embellecen la decoración, que no debe tener nada de horrible. La acción se supone en una tranquila noche de verano, y alumbrada por una clarísima luna.

ESCENA PRIMERA

El escultor, *disponiéndose a marchar*

Escultor

Pues, señor, es cosa hecha:
el alma del buen don Diego
puede, a mi ver, con sosiego
reposar muy satisfecha.
La obra está rematada
con cuanta suntuosidad
su postrera voluntad
dejó al mundo encomendada.
Y ya quisieran, ¡pardiez!,
todos los ricos que mueren,
que su voluntad cumplieren
los vivos como esta vez.
Mas ya de marcharme es hora;
todo corriente lo dejo,
y de Sevilla me alejo
al despuntar de la aurora.
¡Ah!, mármoles que mis manos

pulieron con tanto afán,
mañana os contemplarán
los absortos sevillanos;
y al mirar de este panteón
las gigantes proporciones,
tendrán las generaciones
la nuestra en veneración.
Mas yendo y viniendo días,
se hundirán unas tras otras,
mientras en pie estaréis vosotras,
póstumas memorias mías.
¡Oh, frutos de mis desvelos,
peñas a quien yo animé
y por quienes arrostré
la intemperie de los cielos!,
el que forma y ser os dio
va ya a perderos de vista;
velad mi gloria de artista,
pues viviréis más que yo.
Mas ¿quién llega?

ESCENA II

El ESCULTOR. DON JUAN, *que entra embozado*

ESCULTOR   Caballero...
DON JUAN   Dios le guarde.
ESCULTOR   Perdonad,
                mas ya es tarde, y...
DON JUAN   Aguardad
                un instante, porque quiero
                que me expliquéis...

ESCULTOR   ¿Por acaso
                    sois forastero?
DON JUAN   Años ha
                    que falto de España ya,
                    y me chocó el ver al paso,
                    cuando a esas verjas llegué,
                    que encontraba este recinto
                    enteramente distinto
                    de cuando yo le dejé.
ESCULTOR   Yo lo creo; como que esto
                    era entonces un palacio,
                    y hoy es panteón el espacio
                    donde aquél estuvo puesto.
DON JUAN   ¡El palacio hecho panteón!
ESCULTOR   Tal fue de su antiguo dueño
                    la voluntad, y fue empeño
                    que dio al mundo admiración.
DON JUAN   ¡Y por Dios que es de admirar!
ESCULTOR   Es una famosa historia,
                    a la cual debo mi gloria.
DON JUAN   ¿Me la podréis relatar?
ESCULTOR   Sí; aunque muy sucintamente,
                    pues me aguardan.
DON JUAN   Sea.
ESCULTOR   Oíd
                    la verdad pura.
DON JUAN   Decid,
                    que me tenéis impaciente.
ESCULTOR   Pues habitó esta ciudad
                    y este palacio heredado
                    un varón muy estimado
                    por su noble calidad.
DON JUAN   Don Diego Tenorio.
ESCULTOR   El mismo.
                    Tuvo un hijo este don Diego

peor mil veces que el fuego,
un aborto del abismo.
Un mozo sangriento y cruel,
que, con tierra y cielo en guerra,
dicen que nada en la tierra
fue respetado por él.
Quimerista, seductor
y jugador con ventura,
no hubo para él segura
vida, ni hacienda, ni honor.
Así le pinta la historia;
y si tal era, por cierto
que obró cuerdamente el muerto
para ganarse la gloria.

DON JUAN   ¿Pues cómo obró?

ESCULTOR   Dejó entera
su hacienda al que la empleara
en un panteón que asombrara
a la gente venidera.
Mas con condición que dijo
que se enterraran en él
los que a la mano cruel
sucumbieron de su hijo.
Y mirad en derredor
los sepulcros de los más
de ellos.

DON JUAN   ¿Y vos sois quizás
el conserje?

ESCULTOR   El escultor
de estas obras encargado.

DON JUAN   ¡Ah! ¿Y las habéis concluido?

ESCULTOR   Ha un mes; mas me he detenido
hasta ver ese enverjado
colocado en su lugar;
pues he querido impedir

que pueda el vulgo venir
este sitio a profanar.

DON JUAN *(Mirando.)*

¡Bien empleó sus riquezas
el difunto!

ESCULTOR   ¡Ya lo creo!
Miradle allí.

DON JUAN   Ya le veo.

ESCULTOR   ¿Le conocisteis?

DON JUAN   Sí.

ESCULTOR   Piezas
son todas muy parecidas
y a conciencia trabajadas.

DON JUAN   ¡Cierto que son extremadas!

ESCULTOR   ¿Os han sido conocidas
las personas?

DON JUAN   Todas ellas.

ESCULTOR   ¿Y os parecen bien?

DON JUAN   Sin duda,
según lo que a ver me ayuda
el fulgor de las estrellas.

ESCULTOR   ¡Oh! Se ven como de día
con esta luna tan clara.
Ésta es mármol de Carrara.

(Señalando a la de don Luis.)

DON JUAN   ¡Buen busto es el de Mejía!
¡Hola! Aquí el Comendador
se representa muy bien.

ESCULTOR   Yo quise poner también
la estatua del matador
entre sus víctimas, pero
no pude a manos haber
su retrato... Un Lucifer
dicen que era el caballero

don Juan Tenorio.

DON JUAN   ¡Muy malo!
Mas como pudiera hablar,
le había algo de abonar
la estatua de don Gonzalo.

ESCULTOR   ¿También habéis conocido
a don Juan?

DON JUAN   Mucho.

ESCULTOR   Don Diego
le abandonó desde luego,
desheredándole.

DON JUAN   Ha sido
para don Juan poco daño
ése, porque la fortuna
va tras él desde la cuna.

ESCULTOR   Dicen que ha muerto.

DON JUAN   Es engaño:
vive.

ESCULTOR   ¿Y dónde?

DON JUAN   Aquí, en Sevilla.

ESCULTOR   ¿Y no teme que el furor
popular...?

DON JUAN   En su valor
no ha echado el miedo semilla.

ESCULTOR   Mas cuando vea el lugar
en que está ya convertido
el solar que suyo ha sido,
no osará en Sevilla estar.

DON JUAN   Antes ver tendrá a fortuna
en su casa reunidas
personas de él conocidas,
puesto que no odia a ninguna.

ESCULTOR   ¿Creéis que ose aquí venir?

DON JUAN   ¿Por qué no? Pienso, a mi ver,
que donde vino a nacer

	justo es que venga a morir.
	Y pues le quitan su herencia
	para enterrar a éstos bien,
	a él es muy justo también
	que le entierren con decencia.
ESCULTOR	Sólo a él le está prohibida
	en este panteón la entrada.
DON JUAN	Trae don Juan muy buena espada,
	y no sé quién se lo impida.
ESCULTOR	¡Jesús! ¡Tal profanación!
DON JUAN	Hombre es don Juan que, a querer,
	volverá el palacio a hacer
	encima del panteón.
ESCULTOR	¿Tan audaz ese hombre es,
	que aun a los muertos se atreve?
DON JUAN	¿Qué respetos gastar debe
	con los que tendió a sus pies?
ESCULTOR	¿Pero no tiene conciencia
	ni alma ese hombre?
DON JUAN	Tal vez no,
	que al Cielo una vez llamó
	con voces de penitencia,
	y el Cielo en trance tan fuerte
	allí mismo le metió
	que a dos inocentes dio,
	para salvarse, la muerte.
ESCULTOR	¡Qué monstruo, supremo Dios!
DON JUAN	Podéis estar convencido
	de que Dios no le ha querido.
ESCULTOR	Tal será.
DON JUAN	Mejor que vos.
ESCULTOR	(*Aparte.* ¿Y quién será el que a don Juan
	abona con tanto brío?)
	Caballero, a pesar mío,
	como aguardándome están...

DON JUAN	Idos, pues, en hora buena.
ESCULTOR	He de cerrar.
DON JUAN	No cerréis,
	y marchaos.
ESCULTOR	¿Mas no veis...?
DON JUAN	Veo una noche serena
	y un lugar que me acomoda
	para gozar su frescura,
	y aquí he de estar a mi holgura
	si pesa a Sevilla toda.
ESCULTOR	*(Aparte.* ¿Si acaso padecerá
	de locura, desvaríos?)

DON JUAN *(Dirigiéndose a las estatuas.)*

	Ya estoy aquí, amigos míos.
ESCULTOR	*(Aparte.* ¿No lo dije? Loco está.)
DON JUAN	Mas ¡cielos, qué es lo que veo!
	O es ilusión de mi vista,
	o a doña Inés el artista
	aquí representa, creo.
ESCULTOR	Sin duda.
DON JUAN	¿También murió?
ESCULTOR	Dicen que de sentimiento
	cuando de nuevo al convento
	abandonada volvió
	por don Juan.
DON JUAN	¿Y yace aquí?
ESCULTOR	Sí.
DON JUAN	¿La visteis muerta vos?
ESCULTOR	Sí.
DON JUAN	¿Cómo estaba?
ESCULTOR	¡Por Dios
	que dormida la creí!
	La muerte fue tan piadosa
	con su cándida hermosura,
	que la envió con la frescura

	y las tintas de la rosa.
DON JUAN	¡Ah! Mal la muerte podría
	deshacer con torpe mano
	el semblante soberano
	que un ángel envidiaría.
	¡Cuán bella y cuán parecida
	su efigie en el mármol es!
	¡Quién pudiera, doña Inés,
	volver a darte la vida!
	¿Es obra del cincel vuestro?
ESCULTOR	Como todas las demás.
DON JUAN	Pues bien merece algo más
	un retrato tan maestro.
	Tomad.
ESCULTOR	¿Qué me dais aquí?
DON JUAN	¿No lo veis?
ESCULTOR	Mas..., caballero...,
	¿por qué razón...?
DON JUAN	Porque quiero
	yo que os acordéis de mí.
ESCULTOR	Mirad que están bien pagadas.
DON JUAN	Así lo estarán mejor.
ESCULTOR	Mas vamos de aquí, señor;
	que aún las llaves entregadas
	no están, y al salir la aurora
	tengo que partir de aquí.
DON JUAN	Entregádmelas a mí,
	y marchaos desde ahora.
ESCULTOR	¿A vos?
DON JUAN	A mí. ¿Qué dudáis?
ESCULTOR	Como no tengo el honor...
DON JUAN	Ea, acabad, escultor.
ESCULTOR	Si el nombre al menos que usáis
	supiera...
DON JUAN	¡Viven los cielos!

> Dejad a don Juan Tenorio
> velar el lecho mortuorio
> en que duermen sus abuelos.

ESCULTOR   ¡Don Juan Tenorio!

DON JUAN   Yo soy.

> Y si no me satisfaces,
> compañía juro que haces
> a tus estatuas desde hoy.

ESCULTOR *(Alargándole las llaves.)*

> Tomad. *(Aparte. No quiero la piel
> dejar aquí entre sus manos.
> Ahora que los sevillanos
> se las compongan con él.) (Vase.)*

ESCENA III

DON JUAN

DON JUAN   Mi buen padre empleó en esto
> entera la hacienda mía;
> hizo bien: yo al otro día
> la hubiera a una carta puesto.
> No os podéis quejar de mí,
> vosotros a quien maté;
> si buena vida os quité,
> buena sepultura os di.
> ¡Magnífica es, en verdad,
> la idea de tal panteón!
> Y... siento que el corazón
> me halaga esta soledad.
> ¡Hermosa noche!... ¡Ay de mí!
> ¡Cuántas como ésta tan puras
> en infames aventuras

desatinado perdí!
¡Cuántas al mismo fulgor
de esa luna transparente,
arranqué a algún inocente
la existencia o el honor!
Sí, después de tantos años
cuyos recuerdos me espantan,
siento que en mí se levantan
pensamientos en mí extraños.
¡Oh!, acaso me los inspira
desde el cielo en donde mora
esa sombra protectora
que por mi mal no respira.

*(Se dirige a la estatua de doña Inés, hablán-
dola con respeto.)*

Mármol en quien doña Inés
en cuerpo sin alma existe,
deja que el alma de un triste
llore un momento a tus pies.
De azares mil a través
conservé tu imagen pura,
y pues la mala ventura
te asesinó de don Juan,
contempla con cuánto afán
vendrá hoy a tu sepultura.
En ti nada más pensó
desde que se fue de ti;
y desde que huyó de aquí
sólo en volver meditó.
Don Juan tan sólo esperó
de doña Inés su ventura,
y hoy que en pos de su hermosura
vuelve el infeliz don Juan,
mira cuál será su afán

al dar con tu sepultura.
Inocente doña Inés,
cuya hermosa juventud
encerró en el ataúd
quien llorando está a tus pies;
si de esa piedra a través
puedes mirar la amargura
del alma que tu hermosura
adoró con tanto afán,
prepara un lado a don Juan
en tu misma sepultura.
Dios te crió por mi bien,
por ti pensé en la virtud,
adoré su excelsitud
y anhelé su santo Edén.
Sí; aun hoy mismo en ti también
mi esperanza se asegura,
que oigo una voz que murmura
en derredor de don Juan
palabras con que su afán
se calma en tu sepultura.
¡Oh, doña Inés de mi vida!,
si esa voz con quien deliro
es el postrimer suspiro
de tu eterna despedida;
si es que de ti desprendida
llega esa voz a la altura
y hay un Dios tras esa anchura
por donde los astros van,
dile que mire a don Juan
llorando en tu sepultura.

*(Se apoya en el sepulcro ocultando el rostro; y
mientras se conserva en esta postura, un vapor que se levanta del sepulcro oculta la esta-*

tua de doña Inés. Cuando el vapor se desvane-
ce, la estatua ha desaparecido. DON JUAN *sale*
de su enajenamiento.)

Este mármol sepulcral
adormece mi vigor,
y sentir creo en redor
un ser sobrenatural.
Mas... ¡cielos! ¡El pedestal
no mantiene su escultura!
¿Qué es esto? ¿Aquella figura
fue creación de mi afán?

ESCENA IV

El llorón y las flores de la izquierda del sepulcro de doña Inés se
cambian en una apariencia, dejando ver dentro de ella, y en
medio de resplandores, la SOMBRA DE DOÑA INÉS.

DON JUAN *y la* SOMBRA DE DOÑA INÉS

SOMBRA   No; mi espíritu, don Juan,
                  te aguardó en mi sepultura.

DON JUAN (*De rodillas.*)
                  ¡Doña Inés! Sombra querida,
                  alma de mi corazón,
                  ¡no me quites la razón
                  si me has de dejar la vida!
                  Si eres imagen fingida,
                  sólo hija de mi locura,
                  no aumentes mi desventura
                  burlando mi loco afán.

SOMBRA   Yo soy doña Inés, don Juan,
                  que te oyó en su sepultura.

DON JUAN	¿Conque vives?
SOMBRA	Para ti;

          mas tengo mi purgatorio
          en ese mármol mortuorio
          que labraron para mí.
          Yo a Dios mi alma ofrecí
          en precio de tu alma impura,
          y Dios, al ver la ternura
          con que te amaba mi afán,
          dijo: «Espera a don Juan
          en tu misma sepultura.
          Y pues quieres ser tan fiel
          a un amor de Satanás,
          con don Juan te salvarás,
          o te perderás con él.
          Por él vela; mas si cruel
          te desprecia tu ternura,
          y en su torpeza y locura
          sigue con bárbaro afán,
          llévese tu alma don Juan
          de tu misma sepultura».

DON JUAN *(Fascinado.)*

          ¡Yo estoy soñando quizás
          con las sombras de un Edén!

SOMBRA   No; y ve que si piensas bien
          a tu lado me tendrás;
          mas si obras mal, causarás
          nuestra eterna desventura.
          Y medita con cordura
          que es esta noche, don Juan,
          el espacio que nos dan
          para buscar sepultura.
          Adiós, pues; y en la ardua lucha
          en que va a entrar tu existencia,
          de tu dormida conciencia

la voz que va a alzarse escucha;
porque es de importancia mucha
meditar con sumo tiento
la elección de aquel momento
que, sin poder evadirnos,
al mal o al bien ha de abrirnos
la losa del monumento.

(Ciérrase la apariencia; desaparece DOÑA
INÉS *y todo queda como al principio del acto
menos la estatua de doña Inés, que no vuelve a su lugar.* DON JUAN *queda atónito.)*

ESCENA V

DON JUAN

DON JUAN   ¡Cielos! ¿Qué es lo que escuché?
                    ¡Hasta los muertos así
                    dejan sus tumbas por mí!
                    Mas sombra, delirio fue.
                    Yo en mi mente le forjé;
                    la imaginación le dio
                    la forma en que se mostró,
                    y ciego vine a creer
                    en la realidad de un ser
                    que mi mente fabricó.
                    Mas nunca de modo tal
                    fanatizó mi razón
                    mi loca imaginación
                    con su poder ideal.
                    Sí, algo sobrenatural
                    vi en aquella doña Inés

tan vaporosa a través
aun de esa enramada espesa;
mas..., ¡bah!, circunstancia es ésa
que propia de sombras es.
¿Qué más diáfano y sutil
que las quimeras de un sueño?
¿Dónde hay nada más risueño,
más flexible y más gentil?
¿Y no pasa veces mil
que en febril exaltación
ve nuestra imaginación
como ser y realidad
la vacía vanidad
de una anhelada ilusión?
¡Sí, por Dios, delirio fue!
Mas su estatua estaba aquí.
Sí, yo la vi y la toqué,
y aun en albricias le di
al escultor no sé qué.
¡Y ahora sólo el pedestal
veo en la urna funeral!
¡Cielos! La mente me falta,
o de improviso me asalta
algún vértigo infernal.
¿Qué dijo aquella visión?
¡Oh!, yo la oí claramente,
y su voz triste y doliente
resonó en mi corazón.
¡Ah! ¡Y breves las horas son
del plazo que nos augura!
No, no; ¡de mi calentura
delirio insensato es!
Mi fiebre fue a doña Inés
quien abrió la sepultura.
¡Pasad y desvaneceos,

pasad, siniestros vapores
de mis perdidos amores
y mis fallidos deseos!
¡Pasad, vanos devaneos
de un amor muerto al nacer;
no me volváis a traer
entre vuestro torbellino
ese fantasma divino
que recuerda una mujer!
¡Ah! ¡Estos sueños me aniquilan,
mi cerebro se enloquece!...,
¡y esos mármoles parece
que estremecidos vacilan!

*(Las estatuas se mueven lentamente y vuel-
ven la cabeza hacia él.)*

Sí, sí; ¡sus bustos oscilan,
su vago contorno medra!...
Pero don Juan no se arredra:
¡alzaos, fantasmas vanos,
y os volveré con mis manos
a vuestros lechos de piedra!
No, no me causan pavor
vuestros semblantes esquivos;
jamás, ni muertos ni vivos,
humillaréis mi valor.
Yo soy vuestro matador,
como al mundo es bien notorio;
si en vuestro alcázar mortuorio
me aprestáis venganza fiera,
daos prisa; aquí os espera
otra vez don Juan Tenorio.

ESCENA VI

DON JUAN, *El* CAPITÁN CENTELLAS *y* AVELLANEDA

CENTELLAS *(Dentro.)*
　　　　　¿Don Juan Tenorio?
DON JUAN *(Volviendo en sí.)* 　　　¿Qué es eso?
　　　　　¿Quién me repite mi nombre?
AVELLANEDA *(Saliendo.)*
　　　　　¿Veis a alguien? *(A* CENTELLAS.*)*
CENTELLAS *(Ídem.)* 　　　　Sí, allí hay un hombre.
DON JUAN 　　¿Quién va?
AVELLANEDA 　　　　　Él es.
CENTELLAS *(Yéndose a* DON JUAN.*)*
　　　　　　　　　Yo pierdo el seso
　　　　　con la alegría. ¡Don Juan!
AVELLANEDA 　　¡Señor Tenorio!
DON JUAN 　　　　　　　¡Apartaos,
　　　　　vanas sombras!
CENTELLAS 　　　　　　Reportaos,
　　　　　señor don Juan... Los que están
　　　　　en vuestra presencia ahora
　　　　　no son sombras, hombres son,
　　　　　y hombres cuyo corazón
　　　　　vuestra amistad atesora.
　　　　　A la luz de las estrellas
　　　　　os hemos reconocido,
　　　　　y un abrazo hemos venido
　　　　　a daros.
DON JUAN 　　　　Gracias, Centellas.
CENTELLAS 　　Mas ¿qué tenéis? ¡Por mi vida
　　　　　que os tiembla el brazo, y está
　　　　　vuestra faz descolorida!
DON JUAN *(Recobrando su aplomo.)*
　　　　　La luna tal vez lo hará.

AVELLANEDA   Mas, don Juan, ¿qué hacéis aquí?
                ¿Este sitio conocéis?
DON JUAN   ¿No es un panteón?
CENTELLAS   ¿Y sabéis
                a quién pertenece?
DON JUAN   A mí;
                mirad a mi alrededor,
                y no veréis más que amigos
                de mi niñez, o testigos
                de mi audacia y mi valor.
CENTELLAS   Pero os oímos hablar:
                ¿con quién estabais?
DON JUAN   Con ellos.
CENTELLAS   ¿Venís aún a escarnecellos?
DON JUAN   No, los vengo a visitar.
                Mas un vértigo insensato
                que la mente me asaltó
                un momento me turbó;
                y a fe que me dio mal rato.
                Esos fantasmas de piedra
                me amenazaban tan fieros,
                que a mí acercado a no haberos
                pronto...
CENTELLAS   ¡Ja, ja, ja! ¿Os arredra,
                don Juan, como a los villanos,
                el temor de los difuntos?
DON JUAN   No a fe; contra todos juntos
                tengo aliento y tengo manos.
                Si volvieran a salir
                de las tumbas en que están,
                a las manos de don Juan
                volverían a morir.
                Y desde aquí en adelante
                sabed, señor capitán,
                que yo soy siempre don Juan,

y no hay cosa que me espante.
Un vapor calenturiento
un punto me fascinó,
Centellas, mas ya pasó;
cualquiera duda un momento.

AVELLANEDA *y* CENTELLAS
Es verdad.

DON JUAN   Vamos de aquí.

CENTELLAS   Vamos, y nos contaréis
cómo a Sevilla volvéis
tercera vez.

DON JUAN   Lo haré así.
Si mi historia os interesa,
a fe que oírse merece,
aunque mejor me parece
que la oigáis de sobremesa.
¿No opináis?

AVELLANEDA *y* CENTELLAS   Como gustéis.

DON JUAN   Pues bien: cenaréis conmigo
y en mi casa.

CENTELLAS   Pero digo,
¿es cosa de que dejéis
algún huésped por nosotros?
¿No tenéis gato encerrado?

DON JUAN   ¡Bah! Si apenas he llegado;
no habrá allí más que vosotros
esta noche.

CENTELLAS   ¿Y no hay tapada
a quien algún plantón demos?

DON JUAN   Los tres solos cenaremos.
Digo, si de esta jornada
no quiere igualmente ser
alguno de éstos.

(Señalando a las estatuas de los sepulcros.)

CENTELLAS   Don Juan,
                dejad tranquilos yacer
                a los que con Dios están.

DON JUAN   ¡Hola! ¿Parece que vos
                sois ahora el que teméis,
                y mala cara ponéis
                a los muertos? Mas ¡por Dios,
                que ya que de mí os burlasteis
                cuando me visteis así,
                en lo que penda de mí
                os mostraré cuánto errasteis!
                Por mí, pues, no ha de quedar:
                y, a poder ser, estad ciertos
                que cenaréis con los muertos,
                y os los voy a convidar.

AVELLANEDA   Dejaos de esas quimeras.

DON JUAN   ¿Duda en mi valor ponerme,
                cuando hombre soy para hacerme
                platos de sus calaveras?
                Yo a nada tengo pavor.

                *(Dirigiéndose a la estatua de don Gonzalo,
                que es la que tiene más cerca.)*

                Tú eres el más ofendido;
                mas, si quieres, te convido
                a cenar, Comendador.
                Que no lo puedas hacer
                creo, y es lo que me pesa;
                mas, por mi parte, en la mesa
                te haré un cubierto poner.
                Y a fe que favor me harás,
                pues podré saber de ti
                si hay más mundo que el de aquí,
                y otra vida, en que jamás,
                a decir verdad, creí.

CENTELLAS   Don Juan, eso no es valor;
                locura, delirio es.

DON JUAN   Como lo juzguéis mejor:
                yo cumplo así. Vamos, pues.
                Lo dicho, Comendador.

FIN DEL ACTO PRIMERO

Acto segundo
La estatua de don Gonzalo

Personas

DON JUAN
CENTELLAS
AVELLANEDA
CIUTTI
LA SOMBRA DE DOÑA INÉS
LA ESTATUA DE DON GONZALO

*Aposento de don Juan Tenorio. Dos puertas en el fondo a dere-
cha e izquierda preparadas para el juego escénico del acto. Otra
puerta en el bastidor que cierra la decoración por la izquierda.
Ventana en el de la derecha. Al alzarse el telón están sentados a
la mesa* DON JUAN, CENTELLAS *y* AVELLANEDA. *La mesa rica-
mente servida, el mantel cogido con guirnaldas de flores, etc.
Enfrente del espectador,* DON JUAN, *y a su izquierda* AVELLA-
NEDA; *en el lado izquierdo de la mesa,* CENTELLAS, *y en el de
enfrente de éste, una silla y un cubierto desocupados.*

ESCENA PRIMERA

Don Juan, *El* Capitán Centellas, Avellaneda,
Ciutti *y un* Paje

Don Juan   Tal es mi historia, señores:
                    pagado de mi valor
                    quiso el mismo Emperador
                    dispensarme sus favores.
                    Y aunque oyó mi historia entera,
                    dijo: «Hombre de tanto brío
                    merece el amparo mío;
                    vuelva a España cuando quiera».
                    Y heme aquí en Sevilla ya.
Centellas   ¡Y con qué lujo y riqueza!
Don Juan   Siempre vive con grandeza
                    quien hecho a grandeza está.
Centellas   A vuestra vuelta.
Don Juan   Bebamos.
Centellas   Lo que no acierto a creer
                    es cómo, llegando ayer,
                    ya establecido os hallamos.

DON JUAN	Fue el adquirirme, señores,
	tal casa con tal boato,
	porque se vendió a barato
	para pago de acreedores.
	Y como al llegar aquí
	desheredado me hallé,
	tal como está la compré.
CENTELLAS	¿Amueblada y todo?
DON JUAN	Sí.
	Un necio que se arruinó
	por una mujer, vendióla.
CENTELLAS	¿Y vendió la hacienda sola?
DON JUAN	Y el alma al diablo.
CENTELLAS	¿Murió?
DON JUAN	De repente; y la justicia,
	que iba a hacer de cualquier modo
	pronto despacho de todo,
	viendo que yo su codicia
	saciaba, pues los dineros
	ofrecía dar al punto,
	cedióme el caudal por junto
	y estafó a los usureros.
CENTELLAS	Y la mujer, ¿qué fue de ella?
DON JUAN	Un escribano la pista
	la siguió, pero fue lista
	y escapó.
CENTELLAS	¿Moza?
DON JUAN	Y muy bella.
CENTELLAS	Entrar hubiera debido
	en los muebles de la casa.
DON JUAN	Don Juan Tenorio no pasa
	moneda que se ha perdido.
	Casa y bodega he comprado,
	dos cosas que, no os asombre,
	pueden bien hacer a un hombre

vivir siempre acompañado;
como lo puede mostrar
vuestra agradable presencia,
que espero que con frecuencia
me hagáis ambos disfrutar.

CENTELLAS   Y nos haréis honra inmensa.

DON JUAN   Y a mí vos. ¡Ciutti!

CIUTTI   ¿Señor?

DON JUAN   Pon vino al Comendador. *(Señalando el
                vaso del puesto vacío.)*

AVELLANEDA   Don Juan, ¿aún en eso piensa
                vuestra locura?

DON JUAN   ¡Sí, a fe!
                Que si él no puede venir,
                de mí no podréis decir
                que en ausencia no le honré.

CENTELLAS   ¡Ja, ja, ja! Señor Tenorio,
                creo que vuestra cabeza
                va menguando en fortaleza.

DON JUAN   Fuera en mí contradictorio,
                y ajeno de mi hidalguía
                a un amigo convidar
                y no guardarle el lugar
                mientras que llegar podría.
                Tal ha sido mi costumbre
                siempre, y siempre ha de ser ésa;
                y el mirar sin él la mesa
                me da en verdad pesadumbre.
                Porque si el Comendador
                es difunto tan tenaz
                como vivo, es muy capaz
                de seguirnos el humor.

CENTELLAS   Brindemos a su memoria,
                y más en él no pensemos.

DON JUAN   Sea.

CENTELLAS	Brindemos.
AVELLANEDA y DON JUAN	Brindemos.
CENTELLAS	A que Dios le dé su gloria.
DON JUAN	Mas yo que no creo que haya
	más gloria que esta mortal,
	no hago mucho en brindis tal,
	mas por complaceros, ¡vaya!
	Y brindo a que Dios te dé
	la gloria, Comendador.

(Mientras beben se oye lejos un aldabonazo, que se supone dado en la puerta de la calle.)

	Mas ¿llamaron?
CIUTTI	Sí, señor.
DON JUAN	Ve quién.
CIUTTI *(Asomando por la ventana.)*	
	A nadie se ve.
	¿Quién va allá? Nadie responde.
CENTELLAS	Algún chusco.
AVELLANEDA	Algún menguado
	que al pasar habrá llamado
	sin mirar siquiera dónde.
DON JUAN *(A CIUTTI.)*	
	Pues cierra y sirve licor.

(Llamando otra vez más recio.)

	Mas ¿llamaron otra vez?
CIUTTI	Sí.
DON JUAN	Vuelve a mirar.
CIUTTI	¡Pardiez!
	A nadie veo, señor.
DON JUAN	¡Pues por Dios que del bromazo
	quien es no se ha de alabar!
	Ciutti, si vuelve a llamar,
	suéltale un pistoletazo.

(Llaman otra vez, y se oye un poco más cerca.)

	¿Otra vez?
CIUTTI	¡Cielos!
AVELLANEDA y CENTELLAS	¿Qué pasa?
CIUTTI	Que esa aldabada postrera

ha sonado en la escalera,
no en la puerta de la casa.

AVELLANEDA y CENTELLAS

¿Qué dices? *(Levantándose asombrados.)*

CIUTTI   Lo cierto digo,
nada más: dentro han llamado
de la casa.

DON JUAN   ¿Qué os ha dado?
¿Pensáis ya que sea el muerto?
Mis armas cargué con bala;
Ciutti, sal a ver quién es.

(Vuelven a llamar más cerca.)

AVELLANEDA   ¿Oísteis?
CIUTTI   ¡Por San Ginés,
que eso ha sido en la antesala!
DON JUAN   ¡Ah! Ya lo entiendo; me habéis
vosotros mismos dispuesto
esta comedia, supuesto
que lo del muerto sabéis.
AVELLANEDA   Yo os juro, don Juan...
CENTELLAS   Y yo.
DON JUAN   ¡Bah! Diera en ello el más topo;
y apuesto a que ese galopo
los medios para ello os dio.
AVELLANEDA   Señor don Juan, escondido
algún misterio hay aquí.

(Vuelven a llamar más cerca.)

CENTELLAS   ¡Llamaron otra vez!
CIUTTI   Sí;
                   y ya en el salón ha sido.
DON JUAN   ¡Ya! Mis llaves en manojo
                   habréis dado a la fantasma,
                   y que entre así no me pasma;
                   mas no saldrá a vuestro antojo,
                   ni me han de impedir cenar
                   vuestras farsas desdichadas.

(Se levanta y corre los cerrojos de las puertas
del fondo, volviendo a su lugar.)

                   Ya están las puertas cerradas:
                   ahora el coco, para entrar,
                   tendrá que echarlas al suelo,
                   y en el punto que lo intente
                   que con los muertos se cuente,
                   y apele después al cielo.
CENTELLAS   ¡Qué diablos, tenéis razón!
DON JUAN   ¿Pues no temblabais?
CENTELLAS   Confieso
                   que en tanto que no di en eso
                   tuve un poco de aprensión.
DON JUAN   ¿Declaráis, pues, vuestro enredo?
AVELLANEDA   Por mi parte nada sé.
CENTELLAS   Ni yo.
DON JUAN   Pues yo volveré
                   contra el inventor el miedo.
                   Mas sigamos con la cena;
                   vuelva cada uno a su puesto,
                   que luego sabremos de esto.
AVELLANEDA   Tenéis razón.
DON JUAN *(Sirviendo a* CENTELLAS.*)*
                                       Cariñena:
                   sé que os gusta, capitán.

CENTELLAS   Como que somos paisanos.

DON JUAN (*A* AVELLANEDA, *sirviéndole de otra botella.*)
        Jerez a los sevillanos,
        don Rafael.

AVELLANEDA   Habéis, don Juan,
        dado a entrambos por el gusto;
        ¿mas con cuál brindaréis vos?

DON JUAN   Yo haré justicia a los dos.

CENTELLAS   Vos siempre estáis en lo justo.

DON JUAN   Sí, a fe; bebamos.

AVELLANEDA *y* CENTELLAS   Bebamos.

(Llaman a la misma puerta de la escena, fondo derecha.)

DON JUAN   Pesada me es ya la broma;
        mas veremos quién asoma
        mientras en la mesa estamos.

(A CIUTTI, *que se manifiesta asombrado.)*

        ¿Y qué haces tú ahí, bergante?
        ¡Listo! Trae otro manjar. *(Vase* CIUTTI.)
        Mas me ocurre en este instante
        que nos podemos mofar
        de los de afuera invitándoles
        a probar su sutileza,
        entrándose hasta esta pieza
        y sus puertas no franqueándoles.

AVELLANEDA   Bien dicho.

CENTELLAS   Idea brillante.

(Llaman fuerte, fondo derecha.)

DON JUAN   ¡Señores!, ¿a qué llamar?
        Los muertos se han de filtrar
        por la pared, adelante.

(La ESTATUA DE DON GONZALO *pasa por la puerta sin abrirla, y sin hacer ruido.)*

ESCENA II

DON JUAN, CENTELLAS, AVELLANEDA y la ESTATUA DE DON GONZALO

CENTELLAS	¡Jesús!
AVELLANEDA	¡Dios mío!
DON JUAN	¡Qué es esto!
AVELLANEDA	Yo desfallezco.

(Cae desvanecido.)

CENTELLAS	Yo expiro.

(Cae lo mismo.)

DON JUAN ¡Es realidad, o deliro!
Es su figura..., su gesto.

ESTATUA ¿Por qué te causa pavor
quien convidado a tu mesa
viene por ti?

DON JUAN ¡Dios!, ¿no es ésa
la voz del Comendador?

ESTATUA Siempre supuse que aquí
no me habías de esperar.

DON JUAN Mientes, porque hice arrimar
esa silla para ti.
Llega, pues, para que veas
que, aunque dudé en un extremo
de sorpresa, no te temo
aunque el mismo Ulloa seas.

ESTATUA ¿Aún lo dudas?

DON JUAN   No lo sé.

ESTATUA   Pon si quieres, hombre impío,
             tu mano en el mármol frío
             de mi estatua.

DON JUAN   ¿Para qué?
             Me basta oírlo de ti;
             cenemos pues; mas te advierto...

ESTATUA   ¿Qué?

DON JUAN   Que si no eres el muerto
             no vas a salir de aquí.
             ¡Eh! Alzad. *(A* CENTELLAS *y a* AVELLANEDA.*)*

ESTATUA   No pienses, no,
             que se levanten, don Juan,
             porque en sí no volverán
             hasta que me ausente yo.
             Que la divina clemencia
             del Señor para contigo,
             no requiere más testigo
             que tu juicio y tu conciencia.
             Al sacrílego convite
             que me has hecho en el panteón,
             para alumbrar tu razón
             Dios asistir me permite.
             Y heme que vengo en su nombre
             a enseñarte la verdad;
             y es: que hay una eternidad
             tras de la vida del hombre.
             Que numerados están
             los días que has de vivir,
             y que tienes que morir
             mañana mismo, don Juan.
             Mas como esto que tus ojos
             está pasando supones
             ser del alma aberraciones
             y de la aprensión antojos,

Dios, en su santa clemencia,
te concede todavía,
don Juan, hasta el nuevo día
para ordenar tu conciencia.
Y su justicia infinita
porque conozcas mejor,
espero de tu valor
que me pagues la visita.
¿Irás, don Juan?

DON JUAN   Iré, sí;
mas me quiero convencer
de lo vago de tu ser
antes que salgas de aquí.

(Coge una pistola.)

ESTATUA   Tu necio orgullo delira,
don Juan; los hierros más gruesos
y los muros más espesos
se abren a mi paso: mira.

(Desaparece la ESTATUA *sumiéndose por la
pared.)*

ESCENA III

DON JUAN, AVELLANEDA *y* CENTELLAS

DON JUAN   ¡Cielos! ¡Su esencia se trueca
el muro hasta penetrar,
cual mancha de agua que seca
el ardor canicular!
¿No me dijo: «El mármol toca
de mi estatua»? ¿Cómo, pues,
se desvanece una roca?

¡Imposible! Ilusión es.
Acaso su antiguo dueño
mis cubas envenenó,
y el licor tan vano ensueño
en mi mente levantó.
Mas si éstas que sombras creo
espíritus reales son,
que por celestial empleo
llaman a mi corazón,
entonces para que iguale
su penitencia don Juan
con sus delitos, ¿qué vale
el plazo ruin que le dan?
¡Dios me da tan sólo un día!...
Si fuese Dios en verdad,
a más distancia pondría
su aviso y mi eternidad.
«Piensa bien que al lado tuyo
me tendrás...», dijo de Inés
la sombra; y si bien arguyo,
pues no la veo, sueño es.

(*Transparéntase en la pared la* SOMBRA DE
DOÑA INÉS.)

ESCENA IV

DON JUAN, *la* SOMBRA DE DOÑA INÉS. CENTELLAS
y AVELLANEDA, *dormidos*

SOMBRA   Aquí estoy.
DON JUAN   ¡Cielos!
SOMBRA   Medita

lo que al buen Comendador
has oído, y ten valor
para acudir a su cita.
Un punto se necesita
para morir con ventura;
elígele con cordura,
porque mañana, don Juan,
nuestros cuerpos dormirán
en la misma sepultura.

(*Desaparece la* SOMBRA.)

ESCENA V

DON JUAN, CENTELLAS *y* AVELLANEDA

DON JUAN   Tente, doña Inés, espera;
                  y si me amas en verdad,
                  hazme al fin la realidad
                  distinguir de la quimera.
                  Alguna más duradera
                  señal dame, que segura
                  me pruebe que no es locura
                  lo que imagina mi afán,
                  para que baje don Juan
                  tranquilo a la sepultura.
                  Mas ya me irrita, por Dios,
                  el verme siempre burlado,
                  corriendo desatentado
                  siempre de sombras en pos.
                  ¡Oh!, tal vez todo esto ha sido
                  por estos dos preparado,
                  y mientras se ha ejecutado
                  su privación han fingido.

Mas por Dios que si es así,
se han de acordar de don Juan.
¡Eh, don Rafael, capitán!
Ya basta: alzaos de ahí.

(DON JUAN *mueve a* CENTELLAS *y a* AVE-
LLANEDA, *que se levantan como quien vuelve de un profundo sueño.)*

CENTELLAS   ¿Quién va?
DON JUAN   Levantad.
AVELLANEDA   ¿Qué pasa?
               ¡Hola, sois vos!
CENTELLAS   ¿Dónde estamos?
DON JUAN   Caballeros, claros vamos.
               Yo os he traído a mi casa,
               y temo que a ella al venir
               con artificio apostado
               habéis sin duda pensado
               a costa mía reír;
               mas basta ya de ficción
               y concluid de una vez.
CENTELLAS   Yo no os entiendo.
AVELLANEDA   ¡Pardiez!,
               tampoco yo.
DON JUAN   En conclusión,
               ¿nada habéis visto ni oído?
AVELLANEDA *y* CENTELLAS
               ¿De qué?
DON JUAN   No finjáis ya más.
CENTELLAS   Yo no he fingido jamás,
               señor don Juan.
DON JUAN   ¡Habrá sido
               realidad! ¿Contra Tenorio
               las piedras se han animado,
               y su vida han acotado

con plazo tan perentorio?
Hablad, pues, por compasión.

CENTELLAS ¡Voto va a Dios! ¡Ya comprendo
lo que pretendéis!

DON JUAN   Pretendo
que me deis una razón
de lo que ha pasado aquí,
señores, o juro a Dios
que os haré ver a los dos
que no hay quien me burle a mí.

CENTELLAS Pues ya que os formalizáis,
don Juan, sabed que sospecho
que vos la burla habéis hecho
de nosotros.

DON JUAN   ¡Me insultáis!

CENTELLAS No por Dios; mas si cerrado
seguís en que aquí han venido
fantasmas, lo sucedido
oíd cómo me he explicado.
Yo he perdido aquí del todo
los sentidos, sin exceso
de ninguna especie, y eso
lo entiendo yo de este modo.

DON JUAN A ver, decídmelo pues.

CENTELLAS Vos habéis compuesto el vino,
semejante desatino
para encajarnos después.

DON JUAN ¡Centellas!

CENTELLAS   Vuestro valor
al extremo por mostrar,
convidasteis a cenar
con vos al Comendador.
Y para poder decir
que a vuestro convite exótico
asistió, con un narcótico

nos habéis hecho dormir.
Si es broma, puede pasar;
mas a ese extremo llevada,
ni puede probarnos nada
ni os la hemos de tolerar.

AVELLANEDA   Soy de la misma opinión.
DON JUAN   ¡Mentís!
CENTELLAS   Vos.
DON JUAN   Vos, capitán.
CENTELLAS   Esa palabra, don Juan...
DON JUAN   La he dicho de corazón.
Mentís; no son a mis bríos
menester falsos portentos,
porque tienen mis alientos
su mejor prueba en ser míos.

AVELLANEDA *y* CENTELLAS
Veamos. *(Ponen mano a las espadas.)*
DON JUAN   Poned a tasa
vuestra furia, y vamos fuera,
no piense después cualquiera
que os asesiné en mi casa.
AVELLANEDA   Decís bien..., mas somos dos.
CENTELLAS   Reñiremos, si os fiáis,
el uno del otro en pos.
DON JUAN   O los dos, como queráis.
CENTELLAS   ¡Villano fuera, por Dios!
Elegid uno, don Juan,
por primero.
DON JUAN   Sedlo vos.
CENTELLAS   Vamos.
DON JUAN   Vamos, capitán.

FIN DEL ACTO SEGUNDO

Acto tercero
Misericordia de Dios, y apoteosis del amor

Personas

DON JUAN
LA ESTATUA DE DON GONZALO
DOÑA INÉS

Sombras, estatuas, espectros, ángeles.

*Panteón de la familia Tenorio. Como estaba en el acto primero
de la segunda parte, menos las estatuas de doña Inés y de don
Gonzalo, que no están en su lugar.*

ESCENA PRIMERA

DON JUAN, *embozado y distraído, entra en la escena lentamente*

DON JUAN

Culpa mía no fue: delirio insano
me enajenó la mente acalorada.
Necesitaba víctimas mi mano
que inmolar a mi fe desesperada,
y al verlos en mitad de mi camino
presa les hice allí de mi locura.
¡No fui yo, vive Dios! ¡Fue su destino!
Sabían mi destreza y mi ventura.
¡Oh!, arrebatado el corazón me siento
por vértigo infernal... Mi alma perdida
va cruzando el desierto de la vida
cual hoja seca que arrebata el viento.
Dudo..., temo..., vacilo... En mi cabeza
siento arder un volcán... Muevo la planta
sin voluntad, y humilla mi grandeza
un no sé qué de grande que me espanta.

(Un momento de pausa.)

¡Jamás mi orgullo concibió que hubiere
nada más que el valor!... Que se aniquila
el alma con el cuerpo cuando muere
creí..., mas hoy mi corazón vacila.
¡Jamás creí en fantasmas!... ¡Desvaríos!
Mas del fantasma aquel, pese a mi aliento,
los pies de piedra caminando siento
por do quiera que voy tras de los míos.
¡Oh!, y me trae a este sitio irresistible
misterioso poder...

*(Levanta la cabeza y ve que no está en su pe-
destal la estatua de don Gonzalo.)*

              ¡Pero qué veo!
¡Falta de allí su estatua!... Sueño horrible,
déjame de una vez... ¡No, no te creo!
Sal, huye de mi mente fascinada,
fatídica ilusión... Estás en vano
con pueriles asombros empeñada
en agotar mi aliento sobrehumano.
Si todo es ilusión, mentido sueño,
nadie me ha de aterrar con trampantojos;
si es realidad, querer es necio empeño
aplacar de los cielos los enojos.
No; sueño o realidad, del todo anhelo
vencerle o que me venza; y si piadoso
busca tal vez mi corazón el cielo,
que le busque más franco y generoso.
La efigie de esa tumba me ha invitado
a venir a buscar prueba más cierta
de la verdad en que dudé obstinado...
Heme aquí pues: Comendador, despierta.

*(Llama al sepulcro del Comendador. Este
sepulcro se cambia en una mesa que paro-*

*dia horriblemente la mesa en que cenaron
en el acto anterior don Juan, Centellas y
Avellaneda. En vez de las guirnaldas que
cogían en pabellones sus manteles, de sus
flores y lujoso servicio, culebras, huesos y
fuego, etc. (A gusto del pintor.) Encima de
esta mesa aparece un plato de ceniza, una
copa de fuego y un reloj de arena. Al cam-
biarse este sepulcro, todos los demás se abren
y dejan paso a las osamentas de las personas
que se suponen enterradas en ellos, envuel-
tas en sus sudarios.* SOMBRAS, ESPECTROS *y*
ESPÍRITUS *pueblan el fondo de la escena.
La tumba de doña Inés permanece.)*

ESCENA II

DON JUAN, *la* ESTATUA DE DON GONZALO *y
las* SOMBRAS

ESTATUA
    Aquí me tienes, don Juan,
y he aquí que vienen conmigo
los que tu eterno castigo
de Dios reclamando están.

DON JUAN
    ¡Jesús!

ESTATUA
               ¿Y de qué te alteras
si nada hay que a ti te asombre,
y para hacerte eres hombre
platos con sus calaveras?

DON JUAN
    ¡Ay de mí!

ESTATUA
               ¿Qué, el corazón
te desmaya?

DON JUAN
               No lo sé;

concibo que me engañé;
no son sueños... ¡Ellos son!

(*Mirando a los espectros.*)

Pavor jamás conocido
el alma fiera me asalta,
y aunque el valor no me falta,
me va faltando el sentido.

ESTATUA   Eso es, don Juan, que se va
concluyendo tu existencia,
y el plazo de tu sentencia
está cumpliéndose ya.

DON JUAN   ¡Qué dices!

ESTATUA   Lo que hace poco
que doña Inés te avisó,
lo que te he avisado yo,
y lo que olvidaste, loco.
Mas el festín que me has dado
debo volverte, y así
llega, don Juan, que yo aquí
cubierto te he preparado.

DON JUAN   ¿Y qué es lo que ahí me das?

ESTATUA   Aquí fuego, allí ceniza.

DON JUAN   El cabello se me eriza.

ESTATUA   Te doy lo que tú serás.

DON JUAN   ¡Fuego y ceniza he de ser!

ESTATUA   Cual los que ves en redor:
en eso para el valor,
la juventud y el poder.

DON JUAN   Ceniza bien, ¡pero fuego!

ESTATUA   El de la ira omnipotente,
do arderás eternamente
por tu desenfreno ciego.

DON JUAN   ¿Conque hay otra vida más
y otro mundo que el de aquí?

¿Conque es verdad, ¡ay de mí!,
lo que no creí jamás?
¡Fatal verdad que me hiela
la sangre en el corazón!
¡Verdad que mi perdición
solamente me revela!
¿Y ese reló?

ESTATUA   Es la medida
de tu tiempo.

DON JUAN   ¡Expira ya!

ESTATUA   Sí; en cada grano se va
un instante de tu vida.

DON JUAN   ¿Y ésos me quedan no más?

ESTATUA   Sí.

DON JUAN   ¡Injusto Dios! Tu poder
me haces ahora conocer,
cuando tiempo no me das
de arrepentirme.

ESTATUA   Don Juan,
un punto de contrición
da a un alma la salvación,
y ese punto aún te le dan.

DON JUAN   ¡Imposible! ¡En un momento
borrar treinta años malditos
de crímenes y delitos!

ESTATUA   Aprovéchale con tiento

(Tocan a muerto.)

porque el plazo va a expirar
y las campanas doblando
por ti están, y están cavando
la fosa en que te han de echar.

(Se oye a lo lejos el oficio de difuntos.)

DON JUAN   ¿Conque por mí doblan?

ESTATUA	Sí.
DON JUAN	¿Y esos cantos funerales?
ESTATUA	Los salmos penitenciales,
	que están cantando por ti.

(Se ve pasar por la izquierda luz de hachones, y rezan dentro.)

DON JUAN	¿Y aquel entierro que pasa?
ESTATUA	Es el tuyo.
DON JUAN	¡Muerto yo!
ESTATUA	El capitán te mató
	a la puerta de tu casa.
DON JUAN	Tarde la luz de la fe

penetra en mi corazón,
pues crímenes mi razón
a su luz tan sólo ve.
Los ve..., y con horrible afán,
porque al ver su multitud,
ve a Dios en la plenitud
de su ira contra don Juan.
¡Ah!, por do quiera que fui
la razón atropellé,
la virtud escarnecí
y a la justicia burlé.
Y emponzoñé cuanto vi,
y a las cabañas bajé,
y a los palacios subí,
y los claustros escalé;
y pues tal mi vida fue,
no, no hay perdón para mí.
¡Mas ahí estáis todavía *(A los fantasmas.)*
con quietud tan pertinaz!
Dejadme morir en paz,
a solas con mi agonía.
Mas con esa horrenda calma

¿qué me auguráis, sombras fieras?
¿Qué esperáis de mí?

ESTATUA   Que mueras
para llevarse tu alma.
Y adiós, don Juan; ya tu vida
toca a su fin, y pues vano
todo fue, dame la mano
en señal de despedida.

DON JUAN   ¿Muéstrasme ahora amistad?
ESTATUA   Sí; que injusto fui contigo,
y Dios me manda tu amigo
volver a la eternidad.

DON JUAN   Toma pues.
ESTATUA   Ahora, don Juan,
pues desperdicias también
el momento que te dan,
conmigo al infierno ven.

DON JUAN   ¡Aparta, piedra fingida!
Suelta, suéltame esa mano,
que aún queda el último grano
en el reló de mi vida.
Suéltala, que si es verdad
que un punto de contrición
da a un alma la salvación
de toda una eternidad,
yo, Santo Dios, creo en Ti:
si es mi maldad inaudita,
tu piedad es infinita...
¡Señor, ten piedad de mí!

ESTATUA   Ya es tarde.

(DON JUAN *se hinca de rodillas, tendiendo
al cielo la mano que le deja libre la* ESTA-
TUA. *Las* SOMBRAS, ESQUELETOS, *etc., van
a abalanzarse sobre él, en cuyo momento*

se abre la tumba de doña Inés y aparece ésta. Doña Inés *toma la mano que* Don Juan *tiende al cielo.*)

ESCENA III

Don Juan, *la* Estatua de don Gonzalo, Doña Inés, sombras, *etc.*

Doña Inés   ¡No!; heme ya aquí,
don Juan; mi mano asegura
esta mano que a la altura
tendió tu contrito afán,
y Dios perdona a don Juan
al pie de la sepultura.

Don Juan   ¡Dios clemente! ¡Doña Inés!

Doña Inés   Fantasmas, desvaneceos:
su fe nos salva... Volveos
a vuestros sepulcros, pues.
La voluntad de Dios es:
de mi alma con la amargura
purifiqué su alma impura,
y Dios concedió a mi afán
la salvación de don Juan
al pie de la sepultura.

Don Juan   ¡Inés de mi corazón!

Doña Inés   Yo mi alma he dado por ti,
y Dios te otorga por mí
tu dudosa salvación.
Misterio es que en comprensión
no cabe de criatura,
y sólo en vida más pura
los justos comprenderán

que el amor salvó a don Juan
al pie de la sepultura.
Cesad, cantos funerales;

(Cesa la música y salmodia.)

callad, mortuorias campanas;

(Dejan de tocar a muerto.)

ocupad, sombras livianas,
vuestras urnas sepulcrales;

(Vuelven los ESQUELETOS *a sus tumbas, que
se cierran.)*

volved a los pedestales,
animadas esculturas;

(Vuelven las ESTATUAS *a sus lugares.)*

y las celestes venturas
en que los justos están
empiecen para don Juan
en las mismas sepulturas.

(Las flores se abren y dan paso a varios AN-
GELITOS *que rodean a* DOÑA INÉS *y a* DON
JUAN, *derramando sobre ellos flores y perfu-
mes, y al son de una música dulce y lejana se
ilumina el teatro con luz de aurora.* DOÑA
INÉS *cae sobre un lecho de flores, que queda-
rá a la vista, en lugar de su tumba, que desaparece.)*

ESCENA ÚLTIMA

DOÑA INÉS, DON JUAN, *los* ÁNGELES

DON JUAN   ¡Clemente Dios, gloria a Ti!
                  Mañana a los sevillanos
                  aterrará el creer que a manos
                  de mis víctimas caí.
                  Mas es justo: quede aquí
                  al universo notorio
                  que, pues me abre el Purgatorio
                  un punto de penitencia,
                  es el Dios de la clemencia
                  el Dios de don Juan Tenorio.

(Cae DON JUAN *a los pies de* DOÑA INÉS *y mueren ambos. De sus bocas salen sus almas, representadas en dos brillantes llamas, que se pierden en el espacio al son de la música. Cae el telón.)*

FIN DEL DRAMA

Índice

Introducción 7
Bibliografía básica 23

DON JUAN TENORIO

Primera parte
    Acto primero 29
    Acto segundo 65
    Acto tercero 91
    Acto cuarto 111

Segunda parte
    Acto primero 143
    Acto segundo 167
    Acto tercero 183

Índice

Introducción ....
Philosophical ... .

Primera parte

Primera parte
....
....
....
.... 111

Segunda parte
....
....
....